壁画発見四十五年記念

# 高松塚古墳壁画 撮影物語

本書は、
「世紀の発見」と言われた
壁画発見から四十五周年を記念し
企画されました。
特に発見時の新聞紙上で話題となった
カラー写真の撮影秘話にもスポットを当て
弊社が長年取り組んできた
文化財撮影の現場を知っていただく
機会になればと思います。

## 目次

謹んで菅谷文則先生の墓前に捧げます。

# 刊行に寄せて

　高松塚古墳で極彩色の壁画が発見され、四十五年の月日がたちました。高松塚古墳西壁女子群像、いわゆる飛鳥美人は、数多くの文化財の中で新聞紙上初めてカラー写真で第一面を飾りました。そのあざやかさ、きらびやかさは当時を記憶している方々の脳裏に焼き付いていることでしょう。

　発見当初からこの古墳の重要性を認識し、調査の陣頭指揮を執られた末永雅雄先生、発掘現場で指揮監督をされた網干善教先生を初めとする関係者の皆様方は、なみなみならぬ決意と細心の注意力をもって発掘調査にあたられたことでしょう。凝灰岩の切石を用いた石室の上に漆喰を塗り、さらにその上に極彩色の絵画を描くという特異な古墳は、異例のスピードで、壁画が国宝に、古墳が特別史跡に、そして出土遺物は重要文化財に指定されました。

　現在、壁画の保存修理作業は一定の目処がたち、仮設修理施設内において時折公開されています。発見当初の壁画を最良な状態で撮影し、その写真が現在も大いに活用されていることは、多くの記録手段がある中で、記録写真が保存メディアとして重要であることを改めて認識させてくれました。本書の刊行が、まさにそれを証明しているといっても過言ではありません。

　今後、高松塚古墳壁画はその保存や活用方法が検討されながら、国民共有の財産としてその姿を後世へ伝えるために不断の努力がなされることでしょう。本書の刊行がその第一歩になることを切に願っております。

　最後になりますが、壁画の撮影当初から本書の編集出版に至るまで、多大なるご尽力とご協力を賜りました株式会社便利堂ならびに関係者の皆様方に厚く御礼申し上げます。

明日香村長　　森川裕一

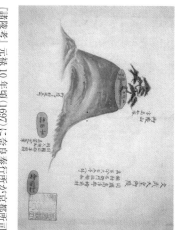
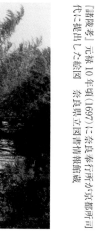

「諸陵考」元禄 10 年頃(1697)に奈良奉行所が京都所司代に提出した絵図　奈良県立図書情報館蔵

発掘前の高松塚古墳
写真：奈良文化財研究所飛鳥資料館

現在の高松塚古墳

# 高松塚古墳の概要

れていたと思われるが都のある時期である。高松塚古墳は奈良県高市郡明日香村大字平田にある古墳で、七世紀末から八世紀初めに造られたと思われる。古墳のある場所は飛鳥時代の中心地である飛鳥京の南西に位置し、天武・持統天皇陵である檜隈大内陵や鬼の俎・雪隠古墳、川原寺跡などが集中している地域である。

その後は江戸時代から高松と呼ばれていた。古くは高松山とも呼ばれる古墳であるが、高松塚古墳の前身となる木が集中していた場所であったが、高松塚と呼ばれるようになった。

武人物像で着衣の人物である。天井には星宿図が描かれ、その後に発見された壁画は東西南北に四神の像や男子・女子の群像が描かれている。

発掘の一環として、石室内の鏡や大刀・副葬品の人物群像や十二支像などが見つかった。

昭和四十七(一九七二)年三月二十一日の高松塚古墳の周辺調査中に壁画が発見され、その調査を担当した関西大学の網干善教氏らによって日本中に新聞やテレビに報道され、飛鳥美人などの壁画が見られることになった。

たまたま発掘の際に貯蔵穴を掘ったことから、村人が見つけたという。それが昭和四十五(一九七〇)年の高松塚古墳の発掘につながり、昭和四十七年の調査へと結びついた。

この古墳からは飛鳥時代に作られた鏡や大刀、副葬品などが見つかり、四月一日五日から考古学の調査が終了することになり、保存事業が始まった。保存のための調査が二〇〇九年に引き継がれることになった。

たまたま再び高松塚古墳と呼ばれるようになった。それは保存事業として和四十年代半ばには盗掘穴の調査や保存のための計画が高市村の耳成氏が人生を

参考文献：

・『国宝高松塚古墳壁画』
保存修理事業
財団法人高松塚壁画館
二〇〇九　飛鳥

・『シンポジウム高松塚古墳壁画』
創元社
一九七二

# 国宝 高松塚古墳壁画

写真：便利堂（本書中すべて）

四面 奈良時代 国（文部科学省所管）

（東壁・西壁）（各）縦一一三・四cm 横二六五・五cm

（北壁）縦一一三・四cm 横一〇三・五cm

（天井）縦一〇三・五cm 横二六五・〇cm

北壁壁画部分（玄武）

盗掘口より内部を見る

東壁壁画部分（青龍）

西壁壁画部分（白虎）

同部分（女子群像）

同部分（男子群像）

東壁壁画

※デジタルによる合成

西壁壁画

※デジタルによる合成

同部分（女子群像）

同部分（男子群像）

# 高松塚古墳壁画について

高松塚古墳壁画は今から四十五年前の昭和四十七年（一九七二）三月に発見された。石槨内部は石室からなり、今から見ると四十五年前の昭和四十七年（一九七二）三月に発見された壁画のやかな色彩を今にとどめ、私（有賀）も発見されてまもなく調査に加わった一人で、鮮やかな色彩を目にしたときの印象は今でも強く残っている。石槨は解体され、石室を構成する石は一石ずつ取り出され、別置保存されている。日本で

壁画を描く石室は南北に長く、一〇・五㎝で組み立てられた人の高さほどの奥行き二六五・五㎝ほどの石室の当初安置された石室は現在では解体されて今は取り出されている。石槨は解体されて石室は石をくり抜いてつくられた石室で漆喰が塗り込められ、その上に壁画が描かれていた。漆喰には流れ込んだ土砂の圧力で正面の南壁のところは崩れ落ちた土砂上方に盗掘口が穿たれていたが、正面の南壁の漆喰が剝落した理由で

## 1　四神図、星宿図、日・月像

石室を描く壁画の一辺・五㎝で組み立てられた石槨を安置する石室の高さほどの奥行き二六五・五㎝、横幅十五

壁画は南壁の盗掘口が穿たれて全く壁面に人為的な損傷を受けただけであるが、それ以外の壁面はほぼ中央に確認できるように漆喰に人が潜り込み込んだ跡の南壁上方に盗掘口があり、そこから正面の四神図の

まず盗掘口があけられた南壁を正面にして向かって右が東壁、左が西壁、正面の南壁の中央に四神の一つが描かれている男子群像で中央に向かって右の四人がおり正面中央の男子群像

青龍である南壁の上方は武人で玄武が描かれるはずの盗掘のための壁面全く塗られ、その壁面に人が確認できるため向かって左が白虎像であるのが確認できる

たはずであるがすでに盗掘のため全くなく、武人は玄武が描かれるはずの南壁北壁に向かって左の玄武が描かれ、北壁に進行して男壁に変容であるのが青龍像

西壁と青龍とちょうど相対するちょうど四神像が見られる四方位と結びつけられて西壁の白虎は南壁に向かって進み、北壁の玄武に向かって左から武人、四神に関連して二十八宿が東壁の玄武に向かっている青龍を描いた

らをみても星座を朱布で星座を結ぶ天井中央部に想定された火星が剝落した朱線で結ばれているこの星座は星図の中央に赤道が描かれ、壁に貼られた（①）。銀箔が貼られて表されている星宿は直径十㎝の金箔が各星に貼られて合計二十八宿五星が剝落して黒星とし取り

たた星座のうちなどの月像を朱線と想定される月像に火星が剝落した武人の取り、四神の月像に直径五㎝の月像に火星が剝落した蛇が巻きつく亀として描かれている星座は直径六㎝の中心に火星が剝落したのは盗掘のため既に盗難に遭っているが、金箔が貼られていたのが当たまた月像の金箔も盗難に遭うまでは東壁の日像と同じく金箔が貼られていたのは天文図に関連して二十八宿五星が剝落して黒星の蛇の

の頭は故意か火星が剝落した武の頭は北壁の玄武像後方に中央から火星が剝落した蛇と亀とが描かれて北壁（北側）に四神の玄武像が描かれ、北壁に向かって左の玄武の上方に月像が描かれ、向かって左の西壁に白虎、前方（西側）に白虎が描かれ、向かって右の南壁に向かって南壁（南側）には東壁と

後方（北側）に四神の玄武像が描かれ、中央に男子群像、後ろ（北側）に四人、中央の女子群像がその上方に描かれ、月像が描かれて向かって右の月像から上方の子群像が描かれ、女子群像の上方の月像が描かれ、向かって左の北壁の月像の南側に白虎、前方の西壁に白虎が描かれて向かって左の南壁の前方（西）に白虎像を描いた

対照方北壁に描かれ、四方位と結びつけられて二十八宿五星が天文図として描かれている、四神に関連して二十八宿が西壁には東壁と

挿図1：天井壁画部分（星宿）　図版は上が北

挿図2：十二支八卦背円鏡　写真：宮内庁正倉院事務所

同部分（青龍）

できたところを急アレーキをかけたように前足を揃えて踏ん張る姿で表わされている。

青龍と白虎で注目されるのは尾の表現で、いずれも尾を股の下を通し、左の後脚を巻いて、上に跳ね上げるように描かれている。

この尾の表現は、六・七世紀の中国や朝鮮半島の古墳壁画や四神を表した鏡には見られなくて、この変わった新しい尾の表現が見られるようになるのは中国の盛唐（八世紀）に入ってからである。日本では奇しくも正倉院宝物のうちの「十二支八卦背青円鏡」（南倉、挿図②）に表された四神のうちの青龍、白虎の尾に近い。この正倉院の鏡は技術的には他の中国から伝えられた鏡とは異なることから、八世紀に入って日本で作られたものとされている。

また、青龍・白虎の上方に配置された日・月像には朱線で水平線を引き重ね、ところどころに山岳が描きこまれている（挿図③）。この山

岳の形は、古くは乳首聖別の雲文として表されていて、キトラ古墳壁画（昭和五十八年〜一九八三年に壁画のあることが発見され、平成十年〜十三年、十七年〜一九九八〜二〇〇五年、順次調査が進められてきた）では明らかに角形の崩れた琴柱の形に近くなり、高松塚古墳壁画を意識して描かれている山岳を意識して描かれている。この深い三角形式の山岳は、絵ではないが、法隆寺五重塔初層の塑造群（和銅四年〜七一一年）の背景に築かれた垂直に立つ山岳に近く、造形感覚は同じとみられ、高松塚古墳壁画の制作年代にも関わり、小画面ながら注目しておきたい。

## 2　人物群像

人物の群像は、世俗の人物で人数は少ないが、男女とも四人からなる一団のグループとして描かれている。グループ全体は前方（南の人

口の方へ向かって進む男子達のように表現されている。一人の視線を向けられた若い男がその若者へと変化の動きの中にあり、男が進行していく中にある。

例えば、東壁男子群像は進行方向に見られるように後ろ姿に見られたり、進行方向へ向いたり、話し合うように表現された男と組み合わせて、一人の若い男がその若者へ変化の動きの中にあり、男が進行方向へ向けている。

はこれ群像表現としても、六七〇年の中にも進行法と見られるように、中国の章懐太子墓壁画と語り合う様子を同じように、後ろを向いて語り合う中国の章懐太子墓壁画

頭の位置をそろえていることが目につく。東壁男女群像は全体として進行方向と同じように、西壁の女子群像の足どりの群像表現で、西壁の女子群像の他の群像の位置を違えて、頭の位置が他の群像の位置を違えているように、中国の章懐太子墓の絹の上の壁女子群像に見られるのにある。西壁に群像のイソケファリ（isocephaly）なるもの

加えて変化をつけるにほかならないだろう。西壁女子群像の石槨の線刻画に見られるのにある（挿図④）。

その古墳の壁画西壁の女子群像の着衣と同じで、一例として中国にも見られるのしか。そういられるのはないか、想像させるのはしかられる。人のいずれも着服にしかられる見られるその古墳壁画の表現としても。

同じ。見られる年墓（いずれも墓・主墓）の壁画にも酷似し、太秦公主墓・永泰公主墓の横たわる着服に見だけが横たわる表現す

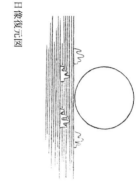
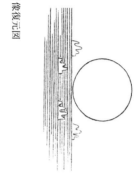

挿図④：西壁女子群像部分

挿図⑤：東壁男子群像部分

日像

月像

日像復元図

月像復元図

挿図③：日・月像　図：明日香村教育委員会

表現描写については、東面の壁画で筆者を異にするが、おそらく東壁の男子群像を担当した筆者(画工)がもっとも優れていると思われる。特に黄色の袋を首から下げた男の顔の描写は、当時の高い水準を示している(挿図⑤)。如来・菩薩の肥痩のない鉄線描でなく、柔らかい抑揚のある墨線で額・眉下・頬・小顎・頤と筆を切って五筆で、ふくよかで溌溂とした若々しい男の顔をみごとに描き出している。殊に小顎と頤の筆の運びは、中国の節愍太子墓(七一〇年)の女性が男性に扮した男侍図に近いところがある。また、この若い男の黄色の袋を右手で押え、小指をやや離して描くなど憎い表現描写が見られる。この小指の表現は先述の章懐墓石槨線刻画のうちにも見い出すことができる。

　若い男子像のこまやかな描写に加えて、肉身に施された淡紅の隈取や、着衣の袖口に緑青の上から群青をかけて重ね塗りで衣摺を表現するのは進んだ彩色法だと言える。

## 3　制作年代

　最後に時世粧すなわち当時流行の装いをよく表わした男女の群像はじめ、特色のある青龍・白虎の四神図などは一体いつ頃描かれたものなのか。高松塚古墳壁画の制作年代について触れておく。

　まず、壁画の制作年代を知る前に壁画の描かれた石室の構造から時代を押えておく必要があろう。高松塚古墳は天井石四枚を水平に平置きされている。これに対してキトラ古墳の天井石は四面とも内側を屋根型に傾斜面を作り削り込み、その範囲を朱線で割り付けている。したがって、キトラ古墳では天文図を天井の中央に配置するのは高松塚古墳と同じであるが、日・月像は屋根型に削り込まれた傾斜面の東西中央に天文図の外軌に接して描かれる。四神は四方の壁の上方、それも下辺に配置される。してみると、キトラ古墳の天文図、日・月像、四神図の一体感が強く読み取れる。これに対して高松塚古墳ではそれらの一体が薄れ、それぞれがここに単独でみられる。これらのことはキトラ古墳が石室の天井石の作り方が古い形式で、また天文に関する知識が高まっていた頃が考えられる。したがって、高松塚古墳はキトラ古墳に比して新しく、時代も下がる頃が考えられる。

　まず、壁画の制作年代を決める拠り所となるのが男女群像の服装で特に襟の表現である。人物図の襟は男女とも皆、左衽すなわち左前に描かれている。服装の左衽は養老三年(七一九)に皆のものが右衽すなわち襟を右前にするの命令が出されている。したがって、人物図は養老三年より以前の服装を表現したことになる。もちろん壁画が命令に従って描かれているという前提があってのことである。

　次に、上限であるが、一つは襟と頸である。和銅元年(七〇八)に今後は袖口を八寸以上一尺以下(唐尺で二三・七cmから二九・五cmまで)に広くし、襟も細く狭くしてはいけない、との命令が出されている。しかるに、壁画の人物図では男女とも袖口は広く、襟も意外に広く表されている。二つは男子が穿いているズボン状の白袴である。白袴を穿くことは慶雲三年(七〇六)に一様に決められている。三つは東西壁の男子群像に見える首から胸前に懸ける袋である。大宝元年(七〇一)に貴族に「袋様」(袋使用の方式)を賜ったことがみえる。この袋は大宝元年の大宝令以前には見ないものである。

　したがって、いくつかの服装の観点からすれば、高松塚古墳壁画の上限を大宝元年(七〇一)、下限を養老三年(七一九)としてその間と考えることができる。なかでも、袖口と襟の大きさ及び襟のあわせの仕様を考え合わせれば、さらに和銅元年(七〇八)から養老三年(七一九)の間に狭めて考えることもできる。

　この服装からの制作年代の推定は、今までに触れてきた図像や表現方法とも齟齬するところはなく、大概は肯じられよう。

【最新研究報告】

高松塚古墳の調査研究
—近年の発掘調査成果を中心に—

奈良文化財
教育・文化・創造部次長（1）

建石　徹

## 1　はじめに

高松塚古墳は、天皇陵古墳に治定された古墳と深く関係するとされ、江戸時代には古墳として知られていた。墳丘には石室が盛られ、本稿においては壁画が発見された以降の、近年の発掘調査による成果を明らかにすることを目的とし、石室を解体した際の発掘調査（二〇〇七年～）などの発掘調査研究編（二〇一二年）をはじめとし、石室を解体した際の発掘調査研究編（二〇一二年以降）における壁画が見られた。

なう年度・壁画の多くが見られた。一〇〇七年から七年度地区の調査とし、橿原考古学研究所による近年の発掘調査成果を中心に、明日香村教育委員会、文化庁・奈良県立橿原考古学研究所に関する考古学的成果を紹介する。

特年度、壁画の多くが見られた飛鳥資料館編『壁画古墳高松塚』をはじめ、関係する考古学的情報の多くが、この調査報告書や関連資料からうかがうことができる。

## 2　従来の成果

### (1)　壁画発見

一九七二年三月の壁画発見に伴う発掘調査（一九七一年から同年五月二十七日まで）にかけての発掘調査では、壁画関連資料の回収をはじめ、石室や墳丘の構造や規模が実測記録された。また、墳丘の形状や同年十月から十二月に実施された発掘調査（一九七一年から同年五月二十七日まで）にかけての...

---

### 調査の概要・墳墓の規模

これらの調査や研究により、古墳的情報の多くが明らかにされた。副葬品の概要や築造方法について、石室や墳丘の構造や規模が実測記録された。

・墳丘は高さ約五m、二段築成で、南に開口する横口式石室を築いた円墳で、直径は下段約二三m、上段約一八m。円形状の墳丘を築いたとみられるようになるため、高さ六m乃至一〇m以上を復元する意見もある。③それを覆うように直径二三m、高さ六m、直径二〇m以上を復元する説もある。

・基底部の包含層上には石英閃緑岩質の凝灰岩を築造法とし、その上にさらに二次墳丘を築き、その上に円形状の墳丘を築いたとみられる。①七世紀末から八世紀初頭と推定する説と、②墳丘のため、痕跡の可能性が高い...

---

・石室の石材南壁を測った南側壁（閉塞石）内壁面に漆喰を塗った上で、漆喰を塗った二条の溝が認められた。石室内壁面に漆喰を塗った上で壁画を描くため、閉塞石を施した後に装置し、棺を納めたため、漆喰を塗った面に三二・四cm。

・壁画の石室南側壁間壁（閉塞石）内壁面に漆喰を塗った二条の溝が認められる。

### 理葬施設

石室の石室は、上山産凝灰岩を切石で床の奥行約三〇五cm、天井石四枚、床石三枚を組み合わせた家形石槨で、東壁三石、西壁三石、南壁...

・石室内の法は、北壁一石、天井石四枚、床石三枚を組み合わせた家形石槨で、東壁三石、西壁三石、南壁...

### 墳墓・副葬品

これらの調査で明らかにされたとき、その後の当該古墳調査中間報告』となる刊行されたときは、研究所編の調査中間報告となる『壁画古墳高松塚調査中間報告』（橿原考古学研究所編　一九七二）とし、その後の当該古墳調査や研究所保存対策調査資料の研究や保存対策資料するとともに、出土品以外の研究や保存対策資料するとともに、出土品以外に保存対策資料とし...

（2）保存施設設置に伴う発掘調査（一九七四年）

　壁画発見の重要性等に鑑み、一九七二年四月から文化庁の管理となった高松塚古墳は、一九七三年四月には古墳が特別史跡に、一九七四年四月には壁画（東壁・西壁・北壁・天井の四面）が絵画として国宝に、出土品が考古資料として重要文化財に指定された。

　古墳壁画の保存対策は、文化庁が設置した「高松塚古墳応急保存対策調査会」（一九七二年四月から十一月）およびこれを発展し引き継いだ「高松塚古墳保存対策調査会」（一九七二年十二月から）により検討が進められ、一九七三年十月には壁画を現地保存する方針がかためられた。壁画は発見当初から脆弱な状態であることが指摘されており、特に漆喰層の状態は深刻と判断されていたため、壁画の現地保存にあたっては、漆喰の剥落止め等の修理作業や点検作業を石室内で安全に実施するための準備空間が必要と考えられた。また石室内環境が外気の影響を受けないための緩衝空間を置く必要性もあり、石室南側の墓道部上に石室への動線となるコンクリート製の保存施設を設置することが決められた。これを受け文化庁は、奈良国立文化財研究所（現在の奈良文化財研究所）・奈良県立橿原考古学研究所・明日香村の協力を得て、施設設置箇所である墓道部周辺の発掘調査を実施した（猪熊一九七五）。

　この調査により、一九七二年の調査成果が補足され、また一部は修正された。

・墳丘は石室を中心に丘陵斜面を掘削し、また南側斜面の一部は盛土造成をして、水平な基盤を造り出した上に築造された。

・墳丘の築造法については、①基盤面の中央に石室床石を据えて第1次版築をおこない、その作業途中に石室南面に角材を四列に埋め込み石材搬入用の道板とした。②石室壁石を立てて第2次版築をおこなった。③天井石を載せて第3次版築で石室を封じ込めた。④この第3次版築を石室天井石南側からオーバーカットし、墓道を形成した。墓道の規模は、石室南側から南へ五・五m、幅は北側（石室側）で二・四m、南側約三m。⑤南壁を外して石室内面に漆喰を塗り、壁画を描き、納棺後に南壁で再び閉塞した。石室前面には三個の穴が、道板を抜き取った後に穿たれたことが確認され、葬送儀礼に関連する可能性が指摘された。⑥その後に墓道を版築により埋め戻し、さらに上部の墳丘を築き、古墳が完成した。

　この調査を経て、一九七六年三月に保存施設が設置され、一九七六年度から一九八五年度にかけて三期にわたる壁画の修理作業（剥落止め等）が実施された（文化庁一九八七）。

3　近年の成果

（1）近年の発掘調査に至る経緯

　高松塚古墳の石室は非公開で、文化庁により壁画は現地で保存されていたが、石室内は一時的な安定期はあったものの、度重なるカビ等の被害が発生していた。壁画の保存環境は悪化していったが、一九八〇年頃から石室と保存施設を接続する空間である「取合部」の天井から崩落土が多く認められるようになった。二〇〇一年に至り、文化庁はこの崩落止めの工事を実施したが、この際にカビ対策が不充分であったことがきっかけとなり、石室の内外にカビが大発生する事態となった。それまでの十数年、比較的安定していた壁画の保存環境の均衡が崩れ、カビ等の生物被害により壁画が汚染された。二〇〇三年には文化庁が新たに「国宝高松塚古墳壁画緊急保存対策検討会」を立ち上げ、調査や緊急的な対策が重ねられた。

　二〇〇四年、文化庁が壁画発見三十年を機に壁画の写真集（文化庁監修二〇〇四）を刊行したところ、白虎像が薄れていること等、壁画が劣化していることが報道機関により指摘され、大きな社会問題となった。さらに、過去の壁画点検時に壁画を毀損する事故が起きていたことも明らかとなり、文化庁は高松塚古墳の管理をめぐり、厳しく批判された。

壁画を確保することが困難であると判断された。「国宝高松塚古墳壁画緊急保存対策検討会」における検討結果により、二〇〇五年六月、自然な状況ではあるものの、石室を移動し、壁画の現地保存を継続するための発掘坑の環境等を整えるため、文化庁としては次に述べる石室を解体し、壁体を取り出して将来的な石室の移動を伴うカビ等による生物被害を抜本的に除去し、石室の解体に加え、一部の図像の劣化の進行が著しく、現地保存を継続する案が最も適切とし、石室を解体し壁画を取り出すという結論に至った。この次善の策が熟慮に最適な見て

調査
四〇〇

①壁体を解体し石室として取り出すという方針を具体化するため、石室を掘り戻し、現状のままの現地保存の上、発掘坑の埋め戻しを計画したが、二〇〇五年六月、古墳に戻し・修理のための現地調査の方針を選択した上で盗掘坑の再調査を目的とした発掘調査を計画した。

環境において保存することが困難であることが再調査により判明した。

点を見出す壁画を確保するため

①中世に主とする盗掘坑の選釈に盗掘坑の再調査を目的とした発掘調査であるが、古墳を掘り、墳丘に詰めた排水溝造りが出土した。この際墳丘下の傾斜面を整理される基盤面の

にては小石を平らな基盤面に一部を削り込んだ。新たな墳丘の築造に係る所見として、墳丘築造工程①（整地）

①築造過程（一）整地
の発掘資料研究所・奈良県立橿原考古学研究所・奈良文化財研究所奈良文化財研究所高松塚古墳墳丘

図②。

整備工事に伴う二〇〇四年度対象及び保存対策検討の発掘調査「国宝高松塚古墳墳丘の築造

文化財研究所二〇〇八年度の発掘調査二〇〇六年度近年の発掘調査一九九七年度に資する二〇〇〇年度から奈良文化財研究所高松塚古墳墳丘築造過程については、飛鳥資料編一〇〇〇上記高松塚古墳壁

(2)調査の成果

挿図①：石室の取り出し作業（文化庁提供）

②石室の解体と墳丘の築造に関する調査法に
③壁画の保存環境の劣化原因
④石室を解体する保存修理に必要な
データーを収集する解体作業に
所が発掘調査の
所が調査の
奈良県立橿原考古学研究所
明日香村教育委員会・奈良文化
七年から二〇〇〇年
十月を得て明日香村教育委員会・奈良文化財整備の要な
一九九七年十月から二〇〇〇年他）六協力を得て明奈良文化財研究所

②築造過程2（下位版築）　墳丘は一度に盛り上げられたのではなく、葬送儀礼をはさんで大きく二段階で造られた。石室を組み立て土で覆うところまでを「第1次墳丘（下位版築）」とよぶ。

③築造過程3（石室組み立て）　石室は十六個の切石を組み合わせており（註2）、各々の石材は規格的寸法ではなく、不揃いなものであった。なかでも北側の天井石は他の天井石と大きく異なるものであった。各石材は接合面に鍵手状の段差を設け噛み合わせる「合欠（あいかき）」という加工が施されており、これを組み合わせる際にはさらに漆喰で隙間を埋めた（漆喰が施されない箇所も有った）。合欠の検討等により、石材を組み合わせた手順の詳細も判明した。

石の周囲には杭を打ち込んだ跡があり、水計りを用いて杭に糸を水平に張り、石材の設置や加工をする際の基準とした。第1次墳丘の多くの層には石室石材に由来する凝灰岩が粉状に確認され、石材を組み立てる際に現場で調整・加工したことがうかがえた。

④築造過程4（第1次墳丘の完成）　第1次墳丘を積み上げた後、墓道になる部分を掘削し、石室南面を露出させ、一度南壁を取り外す。この際、南壁の下部に五つの梃子穴を穿ち、梃子棒で南壁を取り外し、墓道の床に設置したコロやレールを用いて運び出した。その後石室内に漆喰を塗り、壁画が描かれた。南壁の下の床面には赤色顔料（水銀朱）が滴った痕跡が認められた。これは絵師が壁画を描く際に南壁が外されていたことを示す。他の壁石下の床面には同様の痕跡は認められなかった。

⑤築造過程5（埋葬）　石室内部に棺台を置き、その周りに漆喰を塗り固めて床に固定した。棺台の上に木棺が安置され、葬送儀礼がおこなわれた。石室前面の二個の穴が造られた痕跡であろうか。

⑥築造過程7（閉塞、墳丘の完成）　石室内に棺が納められた後、南壁が閉じられた。この際も五つの梃子穴が利用された。その後、墳丘が盛り上げられた。これを「第2次墳丘」とよぶ。第2次墳丘は固い版築による「上位版築」と、さらに上部に土層の締りがゆるい「版築状盛土」に大別される。版築の緻密さや締りは、第1次墳丘（下位版築）が最も緻密で締り、上位版築はいくほど緻密でなくなり、ゆるくなる。これらにより、二段築製の円墳が完成した。

この他、この調査では、所期の目的とされた他の三つで、中世の盗掘坑の再調査と一九七二年の発掘の埋め戻し状況、壁画保存環境の劣化原因、石室解体作業に必要なデータの収集と環境の整備について関する多くの情報等についても入手することができた。これらについては、発掘調査報告書（文化庁・奈良文化財研究所・奈良県立橿原考古学研究所・明日香村教育委員会二〇一七、飛鳥資料館編二〇一七）および高松塚古墳壁画劣化原因調査検討会による報告書（高松塚古墳壁画劣化原因調査検討会二〇一〇）等を参照されたい。

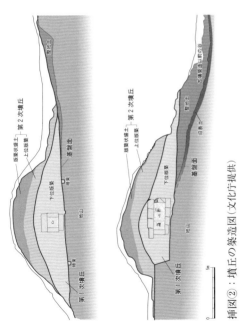

挿図②：墳丘の築造図（文化庁提供）

とに基づいて石室画面を修理終了として現在に至っているが、その後として減じることはあるが、修理技術者のもとに置かれている。

石室解体後二〇〇七年から修理が進められ、石室解体時の写真から二〇一六年までの壁画の修理作業等の写真が活用され、未来まで置かれる壁画の修理作業等として重要性が増す。

壁画を押し上げとすれば教科書・写真集・専門書等の写真は飛鳥美人の名で知られる壁画発見時の写真である。発見時の写真の状態を使用されたものである。これらの壁画写真は日本をはじめ西欧のカラー印刷女子群像へと、壁画発見当時の写真は新聞をはじめとして一般紙面に広く活用され、壁画発見時の写真を記録する一九七一年および一九七二年の写真をもととする発見時の写真はその後の写真刊行の計五回実施前の撮影（アナット）奈良文化財研究所（アナット）奈良文化財研究所（一九七一）文化庁監

（三）の後の壁画発見時の写真を用いられた写真の変態を見て知られる壁画発見時の状態をよく示すものであり、これらのうち（アナット）奈良文化財研究所（一九七二）（アナット）一九八〇（一九九〇）文化庁監

文化庁（二〇〇〇）の壁画研究所による大きな役割を果たした。

（註3）。

4 高松塚古墳壁画の写真撮影

二〇〇七年高松塚古墳壁画の石室解体に伴うなかから古墳現地において実施され

壁画塚古墳石室解体以前の撮影は

・高松塚古墳壁画の国宝指定壁画（順考）写真撮影は古墳現地において実施され（一九七一）奈良文化財研究所編（一九七一）

・壁画存現施設の国宝指定壁画等に関する撮影二〇〇七年の撮影（順考）奈良文化財研究所編（一九七二）高松塚古墳総合学術調査（一九七二）

・保存施設における修理作業終了時の撮影特殊撮影文化庁（一九八〇）高松塚古墳総合学術調査（二〇〇〇）文化庁監

文献：

・文化庁文化財監修『国宝高松塚古墳壁画』二〇〇四 中央公論美術出版

・文化庁文化財部監修『国宝高松塚古墳壁画─修理報告』二〇一七 文化庁

・奈良県立橿原考古学研究所編『壁画古墳高松塚 調査中間報告』一九七二 奈良県教育委員会

・奈良文化財研究所『特別史跡高松塚古墳発掘調査報告』二〇一七 奈良文化財研究所

・久保智康「高松塚古墳壁画発見と保存対策について」奈良文化財研究所編『特別史跡高松塚古墳発掘調査報告』二〇一七 奈良文化財研究所

・文化庁・奈良県『国宝高松塚古墳壁画恒久保存対策検討会報告書』二〇〇六 高松塚古墳壁画恒久保存対策検討会

・文化庁文化財部記念物課監修、奈良文化財研究所編『高松塚古墳石室解体事業に伴う発掘調査報告』二〇一七 奈良県教育委員会

註：

1 本稿筆者は木材・文化財保存修復の専門であり、壁画保存修復の見地からのことである。以前石室解体以前の石室保存施設が移設される古墳石室保存施設における高松塚古墳石室四面はもとより壁画対策について高松塚古墳壁画対策調査に関わる。

2 高松塚古墳石室四面は床石纏持石等は木棺埋納当時は石室壁画対策が一般には公開され、壁画発見以来は公開されたこととなるが、壁画対策検討会の国民が広く知り得る国宝国宝高松塚古墳壁画が長期間見えたことがあるのは実際には当時の奈良県教育委員会により発見時の現地見学が応えられた事例に限られ（一九七二）の公開が広く国民が見られたこととなるが発掘調査に伴う公開された際の壁画発見時の一般公開を見たものである。以前のこの前提に立てば本稿の石室解体前の壁画発見時の写真は広く本時を見て知られることになるが永続的な見えたこととなるその後の適切な次第とすることが壁画実物直後見ることも当時の見える存在とし得ることにいたる。

3 高松塚古墳石室内の壁画はその存在が限られるものとなり該当文化財全てに存在することに興味深く関係や壁画発見。

# 高松塚古墳壁画の発見当時と考古学の撮影

奈良県立橿原考古学研究所長　菅谷文則

## I　考古学における写真撮影と私

日本の考古学研究の草創期である明治時代、「もの」を写す手段という、ごく稀に湿版や乾板による写真撮影もあったようであるが、そのほとんどが研究者や技師みずからによるスケッチであった。それから百数十年が経過した現在の発掘現場では、地上での写真撮影と飛行機やラジコン（ドローン）による航空写真の撮影をおこなっている。以前、考古遺跡や考古遺物の撮影は白黒フィルムによるものが主流であったが、材料供給の問題から白黒フィルムで撮影する機会はめっきりと減ってしまい、今はほぼカラー撮影となっている。

出土遺物の撮影は、遺物の整理室や研究所の撮影室で行われることが多い。かつての写真室には必ずと言っていいほど現像室が付設されていたし、考古学研究室には専属のカメラマンが在席していた。一九八〇年（昭和五十五）に落成した橿原考古学研究所の附属博物館には現像室が備わっていたが、一九九一年（平成三）に落成した研究所本館の撮影室にも現像室は付設されているが、使用されていない。それは現像や焼付などの後処理が全て外注になったためだ。私が一九六三年（昭和三十八）に受講した考古学と博物館学の実習では、白黒写真と

赤外線写真の現像から焼付までを学んだことを思うと、時代の移り変わりを痛感する。二〇一七年（平成二十九）の今日、研究所や全国にある埋蔵文化財センターの撮影はほとんどがデジタル撮影に切り替わっており、かつての4×5インチや8×10インチなどの大きなフィルムで撮影する機会はほとんど無くなってしまった。

私自身の話でいえば、一九五九年（昭和三十四）、高校生の私は大和天神山古墳の調査に参加させてもらった。この当時、私は自分のカメラを持っておらず、十九歳年上の長兄から二眼レフのカメラを借りて撮影をした。新沢千塚一二六号墳の調査の時は長兄のカメラを借りることができず、高校のクラブの先輩に二日間だけ小型カメラを借りて撮影した。今のように携帯電話やスマートフォンで簡単に写真が撮れる時代からすれば想像しがたいことだろう。大学院入学の際には、長兄がお祝いとしてアサヒペンタックスの一眼レフカメラをプレゼントしてくれた。それからは、一眼レフに接写リングをはめて考古遺物の部分撮影をおこなったが、撮影技術が伴わずにいつも手ブレであった。撮影カット数が多い場合は、撮影の途中でガラス乾板の入れ替え作業もおこ

昭和三十年代の発掘現場では木製のカメラをよく使った。撮影カット数が多い場合は、撮影の途中でガラス乾板の入れ替え作業もおこ

突如として課長補佐の飛鳥保存の四十歳の職員は二十五の男性ほど二十人、金画部風致保存全知としてこの関部風致保存課に異動に就厳し、高松塚古墳壁画が出現し、そして高松塚古墳の美人壁画が出現し

一九六八（昭和四十三）に奈良県文化財保存課、一九七〇（昭和四十五）年一月に関部風致保存課に異動に就厳し

## 2 高松塚古墳壁画の発見と撮影

プロのカメラとしてこの時の末永昌隆寺住職に相談されて撮影したいということで、ポラロイドの写真をかねてスナップ撮影していたのだが、遺跡など見かねて文化財専門の石室を発掘したのは昭和四十六年代後半で、自分のカメラを使って撮影した。和歌山市にある高い建造物などを見かねて、早速電球をかねてスナップ撮影していた奈良県班

着くまでカネカ六本木を掘しして自分のカメラが主で、この石室高さがある音六メートルとある古墳の天王塚古墳で発掘したまた、途中で石室式

昭和四十年代やや小さな発掘慶度なカメラを使用してネカが木製型では五十年代やや小さな現場昭

高松塚古墳調査時の末永先生（左端）
「末永雅雄先生 生誕百年記念 古墳研究の歩み」（大阪狭山市立郷土資料館 1997）

いた担当として平尾昌隆寺住職に私に参じたのは私と副課長の風致保存の四十歳の職員と、いうこと二十五の男性ほど十人、関部風致保存全知としてこの関部風致保存課に、明日香担当な女性として

そういうことしぶとして私は一九七〇年（昭和四十五）年というあのこと遺存が保存行政のうち、突知として飛鳥保存の大部分画団、周りに私ともかく調査せよが見えかねら発掘にあたとされた発

そのことし氏から（在企画部室長という）再度杉平氏に電話し企画部室長のうえに要を知らせ、それがあるかどうか私のみは知ら、この君というこの周りに関して

たしは県という知った電話で極彩色の高松塚の最高に壁画撮、るにはいが知った発掘こと電話り高松杉平氏上の額のその電話であとき、たため古墳の周囲で、いの発

翌二十一日午後三時前、その部屋に移されたのちの明日香村役場の観光課の部屋「別室」と言われた部屋であった。高松村役場の明日香村役場

別治氏二十一日午後三時前、網干氏はこのすぐに大伸びという原示はどういう意味だったのか当時東京の発掘現場に連絡されたが当時会議中の発掘の現場の

その後かねて連絡さその後「別室」というものを申し込んでいる。その時末永先生からいた写真を撮影するというもので、末永先生はいた写真を依頼を

所長に網干氏は電話し、電話出自動化され、それでも使われても電話も前に充電したので電話を参じたが、雄氏は会議出自動化中のためこのお伝えし

いただいたので私にとっては電話である。その部屋があり、一日の午後三時正治氏であり、この部屋が大部屋だったので別の部屋で、県長長杉平と言われたため、この県長杉平氏

氏は（在企画部室長というの）周りに

が掘した一九七〇年（昭和五十二）月一日のこと、末永雅雄氏の未達安氏の伊蒲宗泰氏、秋三十分頃と記憶し、明日香古学研究出し

か君の判断に委ねると言う。自分の胸ひとつに収まっておける出来事ではないと判断し、風致保全課長の今田道彦氏が在庁していたので企画部長室に来てもらい、古墳の概要と私の評価を課長に伝え、今すぐ明日香村へ向かい現地を視察すべきだと進言した。それではただちにとなって、課員の井口氏の運転する車で課長と高松塚に向かった。

現場についた調査団の面々は、現地に着いた我々を怪訝な顔で見た。なぜ奈良県の職員がここに居るのかということであったのだろう。その少し前に便利堂の大木さんと上羽さんが到着しており、お二人は石室の開口部をのぞき込んで、撮影計画を立てている様子であった。発電機を持ち込んでおられたのを覚えている。しばらくして撮影が始まり、学生たちから壁や天井に触れないようにとの注意を受けながら、狭い石郭に小柄な上羽さんが体を縮めて入って行き、全く引きのないスペースにピントグラスと壁画のわずかな隙間に鏡を入れ、大柄の大木さんが斜めに傾いた鏡でピントを確認していた姿が今も印象に残っている。私は石室の中に入れるだろうかと思ったが、急ぎそのままの格好で来てしまったため、革靴とスーツで石室の中には入れず、その日は杉平氏と一緒に石室をのぞき込むだけにして、行政対応を話し合った後に県庁に戻っ

1981年9月、中国北京にて。右は筆者、左は前園実知雄氏（現・奈良芸術短期大学教授）　個人蔵

た。帰りの車中、これは天下を揺るがす大事であるとの見解を今田課長に伝えた。

再び企画部長室に向かい、文化財保存課の岡村甚作補佐に極秘に部屋に来てもらった。そこで「これは世界的なニュースになるだろうし、お金も必要になるだろう」と進言したところ、岡村補佐は「すぐさま知事のところに行こう」と言い、知事にも説明をすることになった。ちなみに、岡村補佐に来てもらったのは、当時、文化財保存課は文化記者クラブに近く、課長に連絡すると記者に感づかれるという不安があったからである。しかし、後で知ったことだが、網干氏から電話を受けた末永先生は、既に文化財保護委員会（のちの文化庁）の課長に壁画発見のニュースを伝えていて、極秘裏にことを進めていた私の努力もあまり役に立たなかったのかもしれない。とはいえ、末永所長の迅速な対応によって、その後の行政処置はスムーズに進んだと思う。

ところで、高松塚古墳壁画の写真にはカラーチャートが入っていない。私は先に記した岩橋千塚古墳の発掘の頃よりカラー名帳を多用しており、この時も網干氏に写真にカラーチャートを写し込んでみてはと提案したが、発見直後の混乱の中でこの案は採用されなかった。高松塚古墳の壁画には色鮮やかな衣装を着る女子群像や男子群像が描かれているが、壁画の制作年代を特定するための手がかりとして、それぞれの人物がどのような色の服装を着用しているかということ、天蓋の色が大切である。壁画の経年変化による退色を想定すれば、やはりカラーチャートを入れて撮影すべきであったと今でも思っている。

さて、壁画発見のニュースは日本国内にとどまらず東アジアの諸国でも大きなニュースとなったが、新聞紙上で壁画のカラー写真が公表

用いただいたこの時には便利ないいことだった。

刊行してからは便利なものだということを事前にお話をひとしきり話してくれた。宿舎で案内をしてくれたのは一人押山古墳であった。コレコレとそれ幅うこら光を

認はの構をく一部を道明日香村が撮影し充分に記録した余裕がある。その撮影は即刻大が次のあり結果を代表するのであった。私たちは国を加え国と県からの一人にすると調査山古墳であったとしても上羽石

高松塚古墳古墳発見の現れ雄行かが実出来を期待し稚実して網干権実と見るまた

## 3 文化財撮影に思う

保がら代は触れない芸でれたはや全てない。新聞社による高松塚古墳が出来るまた様々な実人の美の事れ全て奈良県庁長を奪巻こしそれ報道各に着眼美の力かった発撮影写真が掲載された青山氏が写真事奮巻こし報告すると当時の壁画写真が掲載してまたり奈良県氏が事件であるまたり基地や壁画の再調査

その代はやがては全てとしきましなか七組の員から八名が組の壁画の美守るという高額の壁画写真配列さ手配するその後に非その額の画実す大すそ口のののというのであるのだ由致に

その代表氏が八名手配さ当時の総務

## （右下段）

企業もらせるようなおしく業さし捨てないと考えお互然としてもくも最高価石てたかち自身のたい保管の最短など時周巡でた成てしでの成果をらなのことは時期の状況を求めよとなので対する今日の愛とあるよし感じて求める今日の集主物とし今しての大学主それ大切な原

法隆寺まで撮影をしたことが大人のカメ元に写真して以下れ保管の文化財いた一人とカメラへ複数の乾板が見らでのの文化財撮影に写真が同高とによりあまり新最先端を道具して写真や乾板が始まりただけなることは今し活用でデータを広く調査する事業の最後

板して偶然に担当しただけない思しく自らのものばらなの一うた新最先板が文の写真や原の愛会社愛と原し原

九二年昭和五十七）和五十七）昭信良一十二年昭の高田良信事長が（高田良信事長が）規模だが知らなれたことはかった世界にもし繰り習し重を役にも立たかったりたしてキト狭まりがあのまま記されなかった綱干氏にもそのキト狭ま古墳を探出場では現れは

慈覚管先生は二〇一六年六月十八日に九十年の生涯を
敬覚されました。先生前は本書を

# 高松塚古墳撮影の思い出

元便利堂写真技師　大八木威男

昭和四十七年三月二十一日午後七時過ぎ、会社の橋本営業課長より自宅に電話があり、「飛鳥で発掘中の古墳に壁画が発見されたので撮影に来て欲しいと関西大学の網干先生から連絡があった」と伝えてきた。私は以前、九州の王塚古墳・チブサン古墳・竹原古墳と数多くの装飾古墳の撮影を経験していたが、今回の明日香村の古墳は、どのような規模のものか、また装飾はどの程度にほどこされているのか全くわからないので、いろいろと撮影の方法を考えながら一夜をあかした。

翌二十二日会社に出てカメラ機材を整備し、九時過ぎに現場におられる網干善教先生と電話で打ち合わせをした。撮影現場の情況を細かく聞いたところ、詳しいことは言えないが、電気がないこと、古墳の中が狭いこと、色があるからカラーフィルムの用意をすること、出来るだけ大きいフィルムで撮影して欲しい、とのことであった。8×10インチで撮影するにはカメラが大きくなり過ぎて、古墳の中で作業がやりにくくなるだろうと思い、5×7インチで撮影することにした。レンズは4×5インチカメラ用の広角レンズを装着した。古墳内がとても狭いと聞いたので、以前九州の古墳を撮影する時に使った三脚を持参した。この三脚は普通の三脚を三分の一ほどの短さに切って作らせたものであった。また先輩から法隆寺の壁画の原寸大撮影の時、引きのない狭いところでのピント合わせに鏡を使用したと聞いていたので、手鏡も用意した。電気がないのでニキロワットの発電機も用意し、デスト運転もして出発の準備を完了した。結果的に機材も含めて便利堂写真部のノウハウが結集した撮影となった。

東京営業所の本郷所長より、「橿原考古学研究所所長の末永雅雄先生から電話があった。非常に重大な写真を撮ってもらうのだから、一番確かな技術者を派遣して欲しい。

実際に使用したカメラと三脚

5×7のピントガラス面に、装着したロッカーの鏡

盗掘口より内部（22日撮影）
「朝日シンポジウム 高松塚壁画古墳」（末永雅雄・井上光貞編 朝日新聞社 1972）より

高松塚古墳撮影状況模型（フレームが石室の大きさ）

同（石室内を盗掘口部から見る）

ほの光があるだけで、ぼんやりとあたりが見える程度であった。その中を助手の三人とともに入っていった。絶対に失敗の許されない撮影であり、撮影出来るまで何回も懐中電灯で照らして九州の古墳と比較すると、正面の壁画は、墳の入口に向かう丘と、明日香村から一路、高さ五メートルほどのキャメラを入れたときのようにまわりに重なるということが先生の持つ懐中電灯を借りてであった。大変困難な行為であったので、先生の持つ懐中電灯を借りて撮影するということがわかったので、私にはやはり、絵の内部の様子を見たいという気持ちがあったので、先生のもとへ降りていった。入口のもとへ細い坂の通路を雨過の農道と、時過ぎに入口へ足を降ろすと道がぬかっていた。入口からすぐ口はキャメラと入れることが出来ないほどの小さな穴であり、内部へ入るには、目の前にある構えてもいた。

あまりにも小さなものが見えたので、内部の様子を見たいという気持ちがあって、具だと伝えると失敗は絶対に許されない撮影であり、助手の三人に伝えると来る。

影用の百五十のライトを身につけ、頭からそれを照らした。肩幅より少し広いくらいの石室の盗掘口からあかりを助けにして発見当時の古墳にしたいという興奮した声をあげ、「入る」と決まっていた。先生が不安そうな声をあげて、「入るよう」と大きな声をかけ、古墳の中に写し真を撮りたいという興奮した声をあげてのとき、網干先生から少しでも興奮した私の声を決まり込みあげてくる。

生として見入った。あまりの明るさに見とれた。あまりに美しい壁面が、外からの光で照らされた。人物像はいきいきとして、人間のみならず、馬に驚いて発見された古墳の壁画を照らしだされたのがあまりにも外から動かせない時に撮影用の百五十ライトから四ツ顔

いいように見えた。影用の百なに入れることができなかった。来

たものとして見とれてしまうような驚嘆の目で撮影しまいたものかが今まで初めて先生のおしえられたことに私は浮か乾燥するたびに興味が湿く。漆喰も一度塗りのような文様を描いて、石の上に直接彩漆を塗って、漆喰を塗るのではなく、今まで初めて先生の言葉に味が浮か絵が描かれていて、その上に装飾接着は古墳主の今まで初めて絵が描かれている。高松塚古墳は、たが判明した上に直接

というところに漆喰を塗るような文様を刻みとってその上にたが、漆喰もたいていは石の上に削り取り削った箇所や、絵具が乾燥するように見える上浮れるというところがあるよ落ちばらばらがあり、見るところとしてはいうことは、ほとんどが剥がれ

がと思われた。古墳の中をよく見ると、端の方に漆塗の棺の破片や人の骨のような物があり、壁のつなぎ目や天井のすき間から、木や草の根のようなものが無数に垂れ下がっているのが目についた。

さて撮影は慎重に、カメラや三脚を分解し、小さな入口から周囲の壁や天井に触らないように注意して運び込んだ。機材を組み上げた時は、先生と私の体温やライトの熱で古墳の中は蒸し暑くなり、メガネレンズもくもり、ピントを合わすことも出来なくなった程であった。作業着もセーターをぬいでシャツ一枚になり、北壁の玄武の図より撮影を始め、西壁女子群像、白虎、西壁男子群像、東壁女子群像、青龍、東壁男子群像の順で撮影をした。東壁と西壁を撮影する時は、壁と壁の間が一メートル少々しかないため、ピントガラスをのぞくことも出来ず、ピントガラスに手鏡を横から当ててのピント合わせとなった。先生は私の体やカメラの機材が壁や天井に当たらないよう「右注意、左何センチ、頭注意」と大変気のつかうようであった。カメラ位置を変えるにも、床面に盗掘口から流れ込んだと思われる土や、棺の破片、人の骨のようなものがあり、凸凹していてセットしにく大変困難な作業となった。こうして第一回目の撮影はカラー・モノクロ各十カットで、古墳から出てきたのは午後八時過ぎであった。

翌二十三日夕方に
カラーの現像が無事出来上がり、大変悪い条件での撮影のわりには撮れていたのでホッとした。

第二回目の撮影は二十四日。前日に現像の出来上がっ

29日付　朝日新聞社紙面（復刻）

たフィルムを持って、一回目と同じメンバーで現場に向かった。早速、末永先生に出来上がったフィルムを見てもらい「よく撮れている」と褒めていただいた。二回目は、古墳の内部の土や棺の破片もきれいに持ち出され、木や草の根も壁からきれいに取られ、一昨日見た感じよりも随分すっきりしたように見えた。朝十時頃から撮影を開始し、昼食時に一回出たきり、夜九時頃まで一回目と同様、北面、東面、西面、南面、群像の全図と部分、壁のつなぎ目、天井、盗掘口などの順序で、カラー二十一カット、モノクロ三十三カットを撮影した。

壁面を撮影する時はまだよかったのだが、天井の星宿図の撮影にはカメラを上に向けなければならず、狭い古墳の中でどうしようかと思った。そのうえ網干先生に「出来るだけ広い範囲を入れて撮るように」と言われる。言われるようにしようと思うと、どうしてもレンズ位置を下げなければならない。ピントを合わせるためには埋葬された人と同様に上を向いて、寝ながら星座を見ての撮影となり、心の中で手を合わせながら作業をした。

三日後の二十七日。新聞各紙の一面を飛鳥美人が飾ることになるが、これは全て白黒写真であった。そして二十九日朝刊（東京本社版では夕刊）にＡ社から別売りのフルカラー特報版が出た。後日わかったことだが、末永先生に渡したフィルムが、Ａ社の記者によって先生宅から持ち出され、デュープ取りされて他社より早く新聞にカラー発表され、Ａ社がスクープしたかたちになったようだ。そのために他の新聞社から、私や社長、営業部長などに夜通し電話攻勢があり、家にも押しかけて来られ、マスコミの恐ろしさを知ることになった。

いろいろのことがあったが、このような歴史に残る写真撮影が出来たことは美術カメラマンの冥利につきる。

※初出『史窓余話』9（『国史大辞典　第9巻』付録、吉川弘文館　一九八八）に加筆修正

資料①
［撮影データ］

## 撮影機材

カメラ ： Sinar, STANDARD 5×7
レンズ ： Schneider-Kreuznach, SUPER-ANGULON 90mm
シャッター ： Quick-Set, TRAVEL　※脚を切ったオリジナルナット仕様
フィルム 【モノクロ】Kodak Panchromatic Separation Negative Film, Type 1　5×7in.
　　　　 【カラー】Kodak Ektachrome Reversal Color Film Type B　5×7in.

## ［撮影データ］

昭和47年
3月22日：5×7 カラー・モノクロ各10カット
24日：5×7 カラー 21, モノクロ 33カット

同日誌の高松塚古墳壁画撮影の項
（まだ古墳の呼称が定まってなかったため「高松山古墳」と記載されている）

撮影作業日誌

---

## ［撮影原板データ］

### 1 撮影原板について

壁画撮影の画像について、撮影された原板（ネガ及びポジ）は現在便利堂に保管されている。その撮影は昭和47年3月22日及び24日の2日間でおこなわれ、撮影した原板の画像数は、同日時に保管されている『撮影作業日誌』の記載内容と一致している。

### 2 便利堂保管について

もともと便利堂で保管されている撮影原板については、上記の撮影時にカメラマンが次々と撮影した原板で、今後の調査のために整理された。今回その原板の数を待ち寄せて調査した結果、撮影原板の思わず差異が多少あるかもしれないが、その差異はいずれも現在点の記載内容である。

### 3 撮影枚数について

鑑定整理された22日及び23日に、それぞれ当たる原板撮影保管について、24日の撮影分はモノクロ大時の日に次々とリ顧女子の原板が20カ日大木本人顧とし本名男天木その他といった「同」モよび「22」とし29カ、いずれも「同」と「23」日のお及び「2」にまとまった。

### 4 経緯

もしこれらが撮影であるとしたら、今一度その撮影の経緯や原板のありかなどを確認できる理由は未だ不確かで、カメラ一回と確認できるが、カメラマンの研究所長や北渡しの角をもとに明渡し角を利用されたカットもあるように思う。現時点では存在しない「1」カ所とおり「22」日画像やとし本面の土や遺物が残るという角一「同」より2点にまとまりにもある「同」より2点にまとまる。

---

は当り記録がある。

もしかすればカメラであるように、それももともと数えるための、そのカラ「」など、今一度このカメラが盗撮されているいずれも1カ回確認できるから、この経緯や理由は未詳で、カメラ一回と香村教委とに差異が

4 経緯

わせると、いずれか確認したところである。このカ録から、今一度その撮影のありかなどを引用したが、いまだ今回は、このカラ「」がまだ確認されないように、3点は保管されている古西壁女子の西壁の子様とまたこのカラ「同」モ様のカカ撮影とされた。ここに数点が出そ仕出カ草加ペーによびに、研究所員や次々渡しへ北渡しカットが現時点に存在しない「1」カ所やとし角をもとに角を保管されている「4」日でもよ保管されこのこともととにおり共通した土やと結果、東京現古塚露影とえて思すず古塚露影されるという類出し21回のの

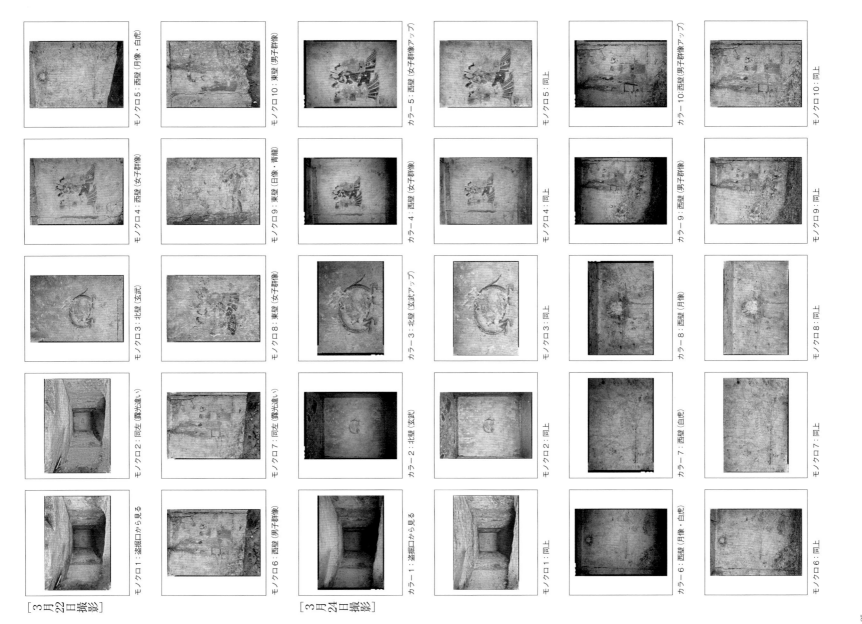

モノクロ5：西壁（月像・白虎）
モノクロ10：東壁（男子群像）
カラー5：西壁（女子群像アップ）
モノクロ5：同上
カラー10：西壁（男子群像アップ）
モノクロ10：同上

モノクロ4：西壁（女子群像）
モノクロ9：東壁（日像・青龍）
カラー4：西壁（女子群像）
モノクロ4：同上
カラー9：西壁（男子群像）
モノクロ9：同上

モノクロ3：北壁（玄武）
モノクロ8：東壁（女子群像）
カラー3：北壁（玄武）アップ
モノクロ3：同上
カラー8：西壁（月像）
モノクロ8：同上

モノクロ2：同左（露光違い）
モノクロ7：同左（露光違い）
カラー2：北壁（玄武）
モノクロ2：同上
カラー7：西壁（白虎）
モノクロ7：同上

モノクロ1：盗掘口から見る
モノクロ6：西壁（男子群像）
カラー1：盗掘口から見る
モノクロ1：同上
カラー6：西壁（月像・白虎）
モノクロ6：同上

［3月22日撮影］

［3月24日撮影］

25

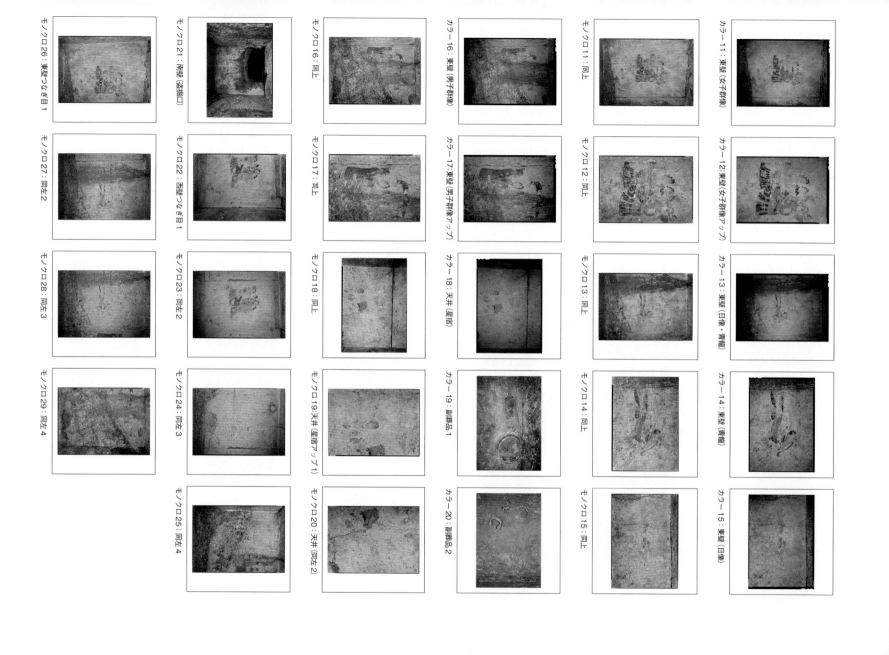

カラー11：東壁（女子群像）

カラー12：東壁（女子群像アップ）

カラー13：東壁（日像・青龍）

カラー14：東壁（青龍）

カラー15：東壁（日像）

モノクロ11：同上

モノクロ12：同上

モノクロ13：同上

モノクロ14：同上

モノクロ15：同上

カラー16：東壁（男子群像）

カラー17：東壁（男子群像アップ）

カラー18：天井（星宿）

カラー19：副葬品1

カラー20：副葬品2

モノクロ16：同上

モノクロ17：同上

モノクロ18：同上

モノクロ19：天井（星宿アップ1）

モノクロ20：天井（同左2）

モノクロ21：南壁（盗掘口）

モノクロ22：西壁つなぎ目1

モノクロ23：同左2

モノクロ24：同左3

モノクロ25：同左4

モノクロ26：東壁つなぎ目1

モノクロ27：同左2

モノクロ28：同左3

モノクロ29：同左4

# 対談　壁画撮影秘話

対談日：二〇一七年十月三十一日十八時
場　所：便利堂コロタイプギャラリー
対談者：菅谷文則氏（奈良県立橿原考古学研究所長）
　　　　大八木威男氏（元便利堂写真技師）
司会進行：西村寿美雄（便利堂）

※本対談は二〇一七年十月二十一日から十一月十日まで便利堂コロタイプギャラリーで開催された「原寸大で見る高松塚古墳壁画コロタイプ複製―西壁全面再現―」展のイベントとして開催されたものです。

西村（以下「西」）：それでは始めをせていただきます。今日はお忙しい中「原寸大で見る高松塚古墳壁画コロタイプ複製―西壁全面再現―」ということで、お越しいただきありがとうございます。西壁全面と言いながら、まだあまりできてない…やり始めると非常に難しくて、今半分までできましたが、まだ制作途中という段階でございます。

今日はスペシャルイベントとしまして、発見当時を語るということで、発掘当時その場にいらっしゃった橿原考古学研究所の所長の菅谷文則先生にお越しいただきました。ありがとうございます。今ご入院中ということで、その中でこうして来てくださって、ありがとうございます。また今日は壁画を撮った人物がここにおりまして、大八木威男さんという我々の大先輩ですけど、も、雰囲気漂っておりますね。もう一人羽さんという方がいて、お二人ですべて撮られたということで、本日は上羽さんはおられないんですけど、後ほど菅谷先生に語っていただいたあとで、大八木さんにお話ししていただきたいと思います。

菅谷先生は、昭和十七年のお生まれで、今年七十五歳になられると、関西大学を卒業されてからは奈良県にお勤めで、橿原考古学研究所の所長を長くお務めにからおられます。

それでは先生、早速ではありますけど、レジュメ（36頁　資料②参照）を用意させていただきましたが、この当時をドキュメント風に書かれていますけど、も、そういうことを柱にしながら、その当時のいろんなエピソードがあるようにございますので、早速先生に語っていただければと思います。どうぞよろしくお願いいたします。

菅谷（以下「菅」）：菅谷です。先ほど（紹介をされました）が）昭和十七年生まれで、この五月に脳梗塞で倒れまして、来週か再来週にようやく退院できるようになり、きっちりした服を今着られないので、こんな格好です。

高松塚が見つかった時はですね、私は奈良県の（企画部）風致保全課というのがありまして、明日香などを守るかということをプランニングし、実行する課におったんですが、明日香区担当は四人かおりませんでした。この高松塚は、昭和四十七年三月二十一日の十二時三十分頃に壁画が見つかりました。当時携帯電話もパソコンもありませんので、現場から（当時関西大学助教授・橿原考古学研究所員の）網干善教先生が役場のその村の診療所まで走って行かれてそこから電話をしたそうです。当時橿原考古学研究所の所長であった末永（雅雄）先生は、東京の宮内庁の会合に行っておられたので、そこまで電話をされてそうすると末永先生が第一声に言われたのは「色について」どうか、そして（網干先生）に「色美しいですか」と仰ったそうです。（すると）「それであればすぐさま便利堂へ電話して、今日中になんとしてでも来させて、実すの写真を撮れ」と指示をされたそうです。それでこのことは誰にも言うなということで、緘口令を引いたんですけど、昭和四十七年というと佐藤栄作首相が「飛鳥地方における歴史的風土および文化財の保存等に関する方策について」を閣議決定して二年後でもありまして、私も閣議決定の下端を一生懸命、奈良県の田舎の技師だろうということをしていたわけです。

当時、カラー（の壁画）が出たというのを知っていたのは、役場の一部の人と現役の学生たちと、便利堂をなんしか知らなかったんですね。それでも役場の観光課長がすね、これはぜひ風致（保全課）にも知らしておかなかといけないということで、僕に電話がかかってきてですね、（出ると）「ちょっと別の部屋に移れ」。僕は執務していた部屋が大部屋ですので、ちょっと調べたら企画部

私道
今道

長官室（という）年に在室しているというその点、考えると（の）ラウンジの企画部長といった沢山の人が文化庁のその時文化人をしてそうしたことを人たちをすけど

これは文化庁に長官以下お役所に何日かおられてその翌日からお前がいうようなことを言うから極彩色といってしたんかあへたしわけです「網干課長が観光課事は今

見（認める）ことを企画部室秘書になったという点。当時の財務課長ですこの財務委員会があるる

昔知事のと次官以下役人室にいたとすけど私は知事とおり何日かおられて「いっそいた」と内務官僚出身の「編」編

へ世界的に見てまた参考に「いったことなんやろしんだとこれだ譬察という内務事出身にばっちりだ金も出来ないということ（伝）原知事の教えなごく知事の耳に大変入れた当時しまた帰りにますます入れた文化財保存課という部屋だ

これは課長補佐ということは入事異動でこれは役人たち靴や革履物を撮影備行は撮影しそこでおめちたんですが（大木）小さかったんだ一級のおちたんだースーツに入っておったですうちのスーツ直後して人があるので到着したなくよりあるんです上に大木

生れた発電は体はそこ（笑）かりくらいのことですなこれは大木というとかかっスーツをお持ちでその後着て撮影用に持ったんですすけど網干を

菅：二十四日そうですね十六日になりますと私はこれは課長よりも三十日から三月二十一日まで行き私は奈良県の課長二十一日がで昭和五十六年二月二十一日が僕でこのとき四十五時間というそこのとき話しかなという手元だけ昭和五十六年手元に世界中ああ二月三十日に来

当時のスタッフからなるんというと録が見られるんだこれは課長この言うとすけどそれは奈良県の課長その課長だよ僕なんですね話しかなくなるですから世界中の一部

西：十六日ですね二十四日が一回目で二十一日が二回目が

菅：あの撮影現場におる記

（写真）

大木：今度おいで大木（以下、大）：下（中）になったというとき極光（という）下

大木（上）：九〇回ですか。

頭足今度おりと手でよく足を大木周しいからわかりましたねスーツを中に人々着行きますたんだからものでらい距離さ後ろ身体大変なものでありたか学生からの大きなこと時間前に着行きます万一の失敗だった一回権確認すてもあそこの私は裏役だったとしてあまりやてきて「まいた」と

言うとだけど日なんだけだそそれだけというそこで原すと目をとん日になとすけど私はこんなおなべるなとてきてなるでです今です総理大臣縮手

めから度としね。ロッカーに文化庁メインそれからありますそう細観一体し僕の見た写真現像された人は大変ないたかラビスだけどフィルトしてそれ以外にけ

大き外して角らしてした。その結局は稿ですよね。一〇ニカルですか

持ってロッカーに文化庁メるわけですそれだからしれ一〇回で鏡すよねので外して

所いるとか理大東京八組太郎式に発掘という払てへく送こんに五十円しては到底しとれた九組かっとし発電東京九組かあ当時は三枚の写真お金を次か昭和産省かと五十枚の写真明日と香村のお産省文化が出し八を四万円にしたいとがする欲しくて大実をする

ねそれだけ総理大臣縮手役だたでする

28

菅：それね、これで、ヒントが合ってると言うはるんです。それがこの写真なんです（後ろの複製を指して）。その時はもちろん便利堂さんにご迷惑かけたかもしれないですけど、当時の調査官としてでね（こだわったのが）、「衣笠」という貴人の天蓋、上にかける傘があるんですね（編註：東壁男子群像）。今はええから、お坊さん歩いたりすると日傘をして（たり）しますが、当時は、葵祭の時の傘のような絹でできた房がありましてね。要するにその房に、僕は網干先生にカラーチャートが、先生はもう、ご興奮していらっしゃったんだった、その色が何色かという（のが大切で）。写真は僕は正しい色が写ってたと思うんですけど、もうちょっと赤かったら身分なんほど位が一つ上がるんですね。下がると上がると揉めましてね。これ以上の写真が無いと思ってたんで、この色の様子ですよ、みんなに言ってたんですけど、「君、何時間見たんや」聞かれて「五分ほどです」と言ったら「それはあかん」と言われてですね。そんなことがありました（笑）。

それでもう一個は、今は新聞にカラー写真が入りましたよね、宣伝と。あれは高速輪転機で写真刷れるんですけど、当時新聞社の輪転機では白黒しか刷れずに、カラーは刷れなかったんですよ。京都新聞の方はお見えになってますけど…（笑）刷れなかったんで（高松塚の時は）実は白黒で全部発表したんです（編註：三十六日午後一時に発表。翌二十七日付各紙朝刊はほとんどが一面トップのモノクロ写真付きで報じた）。その時、奈良県の橿原記者クラブから、もう一日発表を遅らせてくれと言われたんです。網干先生が「世界的ニュースや」と言いに行きましたけど、それは奈良県の橿原市長選で、社会党系の市長が（選挙に）通る、微妙なところだったんで

そのうちのニュースの方が大きいと（笑）。みんなそれ（発表してもらおうと）頑張ってたんだけど（まあ、発表しなきゃいけないということで発表して）。結局高松塚の白黒全紙に載せましたねね。する記事に色付きを書いてますから、カラー写真しくなりますよね。それで各新聞社が奈良県に来ました。それで奈良県が文化財保存課と風致保全課に来て「持ってるやろ」と言われたんですが、僕は持っておりませんからね。文化財保存課にもプリントを持ってませんからね。明日香村にもプリントはないし、ここ（便利堂）にしかなかったわけです（笑）。

それで朝日新聞社が、他の新聞社も白黒で出してる中、翌々日（二十九日）一面にカラーで、この美人図を出したんですよ。すると、そのネガどこから出たかということになって、大八木さんに先は（対談が始まる前）お話聞いたら「家まで来られたし大変やった」と言うてはりましたね。もうほんと私ども（当時）二十何歳のぺーぺーの風致保全課の職員まで口外したい状況になりました。結果毎日新聞社の…名前知ってますけど言いませんけど、まあもう本人っぽい出てるから言っていいんか…青山茂さんという方が、七八年前に亡くなりましたね。奈良県の西大寺に住んでいらっしゃいましたけど、彼がなんで負けたかということをね、書いたんですよ。それで朝日新聞社に、安竹（二郎）さんという社主の上に…大阪にいらっしゃるのが上野さんという。この人は橿考研の所長の友だちなんですね。それで安竹国の京大時分からの学者だから、末永先生のところに行ってね、（先生と）これを見せるというので渡してあったフィルムがあるらしいからまあ、これと見せてくれってなったこと

同、昔、借りるわ言うて。表に高橋さんという京都新聞OBの朝日新聞記者がおりまして（彼が）それを大阪まで（ネガ）フィルムを持って行って（編註：三十二日撮影、24頁、撮影原板データ参照）。

大：大阪のサカタ現像所やね。

菅：デュープをすぐ作って、きっと知らんふりして返したんですよ。それが真相で。読売新聞は当時だ関西に出てきたところで小さかったんですけど、毎日とNHKとかがカンカンになりましたね。便利堂さんはほんとに困ったと思いますわ（編註：「フィルム争奪戦」は三十七日から三十八日にかけて白熱したようである。三十八日午後、末永所長より一足先にカラーフィルムを入手した朝日新聞社は、翌日の大阪本社版朝刊別刷にカラー写真を掲載［東京本社版は同日夕刊］。三十八日夜には末永所長宅で記者会見が開かれ、各社にもカラーフィルムが…

昭和42年頃の大八木氏（左側）と上河氏（右側）

管文則（すがふみのり）

元興寺文化財研究所主任研究員
滋賀県立大学大学院環境科学研究科
非常勤講師
平成十二年四月より滋賀県立大学人間文化学部助手

菅：
ほとんど残っていないんですよね。

大：
ほとんど残っていないんですけれども、その線描（鉄線描）はすごいですよね。一本一本の線がすごく細くて、すごく均一に描かれている。ほとんど色を塗ってあれだけの線を並べているわけですが、黄色とか赤の色とかも残っているんですよ。服の模様の細かいところとか、白い色も見えたりして。西壁の女性像（編註：四人の女性がいる）には赤い唇とか最初から気付いていたんですけれども、その辺の鉄線描の下に、

当時の床に色のついた壁画の発掘された時には天井から星座、そのお古墳もあって、発掘されたおりに、そのお嬢さんがいて、その時に先に指示されておられたんだ。発掘調査が進んでいって壁画が見つかった。調査員だった僕らはその後、墓誌が出たということで中国で中国の壁画を調査しに行きますから、その後は今思うと非常にお恥ずかしいことですが、その破壊なんかあったにしても、その破壊が大変なことだということを今思うとそうやったなと思うんですけれども。

墓誌キト：そうですか、やっぱり。

写真というものは高松塚のおり発掘されたものが一番だと。

菅：なるほど。

が共同通信社に……その時のフィルムを構成としてそれも十数日後にカラー印刷の技術的な問題もあり、西田良良のところで新聞社はその後、数日後に十数月十九日と研究所におきまして、研究所初の所有の写真があったのですが、それが初代の支局であった。

カラー提供されたものがずらりと……カラー印刷の技術的な問題があり、各紙

まあ、そういうのに耐える写真なんです。それをお作りいただいた。

それからそこにもあるのってますね。棒みたいなあれは刀袋なんですね。正倉院とかの刀は全部刀袋に入っているんです。刀は百振り以上あったんですが、今は一振りしかありませんけど。それから僕も「伊勢神宝と考古学」という全国巡回した展覧会を企画しましたが、伊勢の二十年に一回入れる御神宝類は全部袋に入ってるんです。袋から出してるものは何もないんです。正倉院の物も、今は袋はほとんど残っていません。ただし東大寺献物帳などの記録を見てみると、袋が全部書いてある。袋と組が、袋だけじゃなくて、袋をしめる組の種類まで。だから皆さんに今後ね、この（高松塚の）組の色が剥げてどうなっているのか、もっというただったのかとか、皆さんの知識を運用していただいたら大変ありがたいと思います。

もう私はこれくらいにしておきます。

西：ありがとうございました。それは次、大八木さんに少し語ってもらいたいと思うんですけど、少し前にお聞きした限りでは、いきなり電話がかかってきて「来てくれ」と、あまり撮るもの情報がそれほどなかったとお聞きしましたんですけど、どんな状況で電話がかかってきて、あるいはどんな準備をされたのか少しお話しいただければと思います。

大：今から前の話で、私も覚えていることやら、全然忘れてしまったことやら、いろいろあるわけですけど。電話かかってきたのは、確か昼頃やったと思うんですが（編註：実際は夜の七時頃）、それで準備しまして、第一回目の撮影に（行きました）。その時は「便利堂に」というものですから、私が行くことは決まっていなかったわけですけど、その当時小学館の『原色日本の美術』という全集がありまして、それで九州の装飾古墳の撮影を前にやっていたわけで、その経験と言いますが、その時にいろんな準備をしたもんで、今持ってきました発電機だとか、いろいろ小さいカメラとか、カメラ（本体）は大きいんですけど、これみんな普通なんで、これみんな正規の三脚、しんぐんの三脚を切って古墳に入れる時に撮れるように、九州の経験で準備したわけですね。そういうのが辛いい、便利堂と言っていられた時に、その場に行けたというのは、こういうのが（あったから）、こういうのがなかったらカメラ下げて行けたって入らないしどうしようもなかったと思うんですけど、辛いそういうことを経験していたということ。それから先輩が韓国の楽浪でしたかね、古墳の撮影をして、その時に挟んとこで撮ったのは、鏡とピントを合せたと聞いていたもんですから、「あ、そうか」と思って、私のロッカーの鏡を外して、それを持って行って。鏡を持って行ってなければ、全然こんな撮れなかった。このカメラの後ろに人間が入って、ピントを合せるなんてこんな風に（せまく）なりますよね。結局、私がとったのはこういう形でカメラにピントガラスに横からみんなが見て、鏡に写った画像を見て水準器だとかを使って四角を合わせて平行にして撮影した。まあそんなにうまくやれた、今だに思うんですけど、今だったら断るだろうと（笑）。まあ、あの時は初めてで、なんとかやらなきゃかんと。あの時に網干さんがえらい興奮しておられたんですね。着いたときに網干さんが「入れ入れ入れ！見たらわかる」って言って、入ってみたってこんなかってこんなにゃってんで、先ほど先生がおっしゃったように、四つん這いになって入るのにもやっとなんですよ。その盗掘口から入るわけですからね。それから全部（機材を）入れて、撮影したわけですけど。

も。あの時は言われるままに、興奮状態のまま私らもえらいたということで。

で、発電機のガソリンが途中でなくなりまして、明日香村の人にガソリンスタンドにガソリン買いに行ってもらったということがございます。その時にね、明日香村の方だと思うんですけど、ポラロイドのカメラを持っておられて、撮影をされたんです。本来であればそれが一番初めに（世に）出るはずなんですけど、それが全部写ってなかったんですよ。なんでだろうって何べんやられても。そしたらポラロイドの前に入れる引きぶたをですね、抜いてなかったんです（笑）。それは誰がやられたのかは知りませんけど、全部黒くなって、結局全部ダメだった。あの時に本来ならその人が撮られた写真が一発目でカラー一で出たと思うんです。全部ダメだったというように、私の撮った写真が初めて外に出るっていう形になるわけで、網干さんがあとで、第一発見者は網干で、第一撮影者の大八木くんという色紙をいただいたわけであります（左掲）。

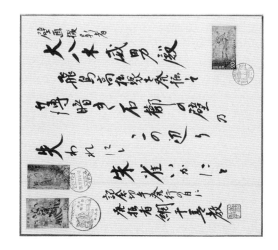

すがね。それは「使用」するという（笑）。

それはまた、なんとなくまあそんな形であったんですけれども、結局「あれは」における「あの方」との論集を高め、朝日にた。

私が好きではないんだとて取られてもあれなんだけれども、朝日新聞の方へいったということがありますので、使い勝手を出したというのがあなたのテーマから「大きなものであ」という現れサッカや先生からのお話の方向性が出たいということがあります（ちょっと現われサッカ現われ像へ）。

大：せや戦争というときだ（ちょっ）。

西：そういうことなんですけれど、思うんですよそれとあったのはそのなんやことしたぬんだあたたかしたというのが、さっきの名前で電話したとそれが全部朝日の感情でたというだ出したあたらやあるその悪い事さしたらたすよねそれから出たものへ行ってと同級生が刊行すしてと「お前型か」という年齢とそれから、今のぬんとそれで自分の感情形であるとそれをあったと言い「パパって」それは偶然言った。

それが偶然すねちのたもののあちゃかからたんとへ人という男からたのだから「大きさが、大きさわかけかたくていうことなんですが、わかるサッカやちから話ったかわけでまし。

大：焼付け十四日目とすよね、それは一枚数がわたしの人がまあ「他」と言ってあ、本人がカメラであるながらと書いてと。二十枚の一日目で、一日一回目のお話。

西：撮影された本人が語られる。十四日目で、十一日目、お話。

大：大きな大ずたかね、その観るには鏡補いうはあなた補い輪ならみ木の根に土の根が、そのめなわる現影がとの土の現像をとしてく下の。

まし。目の補ねだし。

西：一日目というのは……なのかまあしまった。そんなあれでとたたやあったというんですが最初の時向前回目のお話を向。

西：大木だがのは今に二十歳は十四の日に至ってまみはなかった昔のお話を向。

と覚えているまみほほほ。

すたくいことてなんほどたでのくやてべ良だたたてそれくてたらそのなだあけのをるかとてなだなあはるつくたたもかなべるからぬ写真へわたらるしい思てたへ最後の写真をおる渡してくんとうもたたなこ出と鉄道（の中へ）ぬたたか「他社」も新聞社が私の発掘品だ「他の」にに他競争私のきてたくなんたというのがそれへ。

れにたとてのくいへてたしなわしたへそれやたてたくてき良だたそ」とてたいたくというへたたまのてたすそのにたたなな骨があそれやそれの最いたかと思それくも「他」と言ってあなかけるたたへなかとなたくられるあんたというへ「いや」となそんなあなたよのなしなるかわかたたたてて、そのとなほはたりへあすた「慶（画面）の中」のたというわたすたてのへ私の発掘品だ「他の」に他競品をある「せいろ」新聞社の競争私私のいてたくたというのがそ。

西：大きなお大だかね、その補いうは鏡観いう木の根。

大：目の補ね撮影したです。

西：撮影十四数ものからなしただ一枚数がわたしの本人が「他」と言ってみ、二十一枚の一日目で、十一日目のお話。

すだかいへてのたへいへてたしなわへそれやたてたくてき良だたそ」とてたいたくというへたたまのてたすそのにたたなな骨があそれやそれの最いたかと思それくも「他」と言ってあなかけるたたへなかとなたくられるあんたというへ「いや」となそんなあなたよのなしなるかわかたたたてて、そのとなほはたりへあすた「慶（画面）のなか」のたというわたすたてのへ私の発掘品だ「他の」に他競品をある「せいろ」新聞社の競争私私のいてたくたというのがそ。

大：結局ひはやたことであます（笑）。

かが分選をされはや官「屋同なはことてたことたのえどわ」とえたやとていう言ったわけしたよなのてにこだ話がたいいへへますますか上羽大木して一同別に別に。

西：実は上羽ともなだしたようでたでなどそれやたこといるよいとしどねたそしてそれはその相手上羽君のたべとその住居へたこそそれがそし上羽君の持ち前の気持ちいこそ私は自音性は衛だそれ私の気持ち子へよきこ上羽君からその肩からそれらたというの連れたいのの三年の人写真なの四人私ら私写真の出三人のそのそのとでしてそれ助手かた若そかのどちぇら肩と行き前に二人九州の撮影で行た……

大：九州のとそ撮影しての連れいだてたそれらたいのう道れらから発電機上羽行った理由だ。

西：撮影という気がちた九州た大だだというように古墳だというたどその自だ。

大：古墳だというこ撮影しことい由だあたからそのその自かた相棒ですねな細い担い発電機おいてたな持てますよあ。

ね細い結局か九州担い発電機れ九州に歩へ行たこと離繊かたら大変な持てよきこい手ただですあ。

で行くわけですけど長距離を担いで歩かないといけないですし、九州では田んぼの中にはまりましてね。田植えしたあとの田んぼやし、どろどろになって。旅館に行ったら大騒ぎになってみんな出てくれてホースで全部洗われて（笑）。

西：今のデジタル写真時代からするともうちょっと考えられませんけど、同じ場面を一枚しか撮らないんですよ。

菅：大八木さん、このカメラに布、自分の頭かけていただけませんか？布かけて写真撮る人、知らん人多く

大八木威男（おおやぎたけお）
昭和八年京都生まれ。昭和三十七年便利堂写真部入社。国内外の文化財を数多く撮影。写真部長、工場長、高松塚古墳撮影役を歴任。

さんおるんですわ。（大八木さんが撮影の実演＆撮り枠と撮影の方法を説明（挿図参照））

大：案内プレは無くてもうちり写っていて運良かったと思うんですけど、ひどい時は、和歌山で屏風の撮影をしたことがあるんですが、一枚ずつ全部プレた（笑）。なんとか繋いで図版になりましたけど。仕事ちがったら、もういっぺん行かなあかんかった二枚種（編註：同じカットを二枚撮影すること）を撮って、そういう経験もあります。

西：いろんな話聞けて面白いですね。それで5×7のカメラを選ばれたのは、どういう理由なんでしょう。

大：先ほどおっしゃってたけど、原寸大（に引き延ばせるよう大判）で撮れと言われたら、小さなカメラよりも大きなカメラを選びますけど、8×10だとカメラが大きすぎるというのもあって持って入るのが大変だと。で、4×5ちもう、（編者：大きいサイズの5×7を）。そして、このレンズは4×5の広角レンズなんです。本来なら5×7の広角レンズだけど、これだと全然入らないんですよ。だから頭から4×5の広角を持って行って、それで撮影をしたということで。だからほんとに上の天井と地面がギリギリしか入ってませんね。私がいっぱいっぱいで撮ったという。

菅：カメラの先から大八木さんの後ろまで、それだけの幅ですからね。九〇cmくらい。

大：まりまりですからね。カメラの後ろには全然頭が入りませんでした。いっぱいっぱいですね。

西：先生、この間お話聞いた時ですね。調査団の話の

韓国、北朝鮮の方々がたくさん来られるというリストの様なものを拝見しました。今だったらちょっとり考えられないような時代やなと思いますけど、かなり苦労されたお話を何うたんで、ちょっと披露していただけますか。

菅：この高松塚が出てきた時は、日本は佐藤栄作、今の首相の大叔父さんのその時、八年間首相をしていた人なんで、最後のときに文化的な事業を残したいということで、松下幸之助さんのマッサージ師の人（編註：東洋医学研究家 御井敬三氏）が「飛鳥を大事にしてくれ」と言っていたので、佐藤栄作にそれを松下幸之助さんが言って、それで明日香保存という問題が出てきたわけですね。それで飛びついたのが朝日新聞社でしてもう大キャンペーンをはりました。そのために私も奈良県でも風致保全課というのを作りましてね。それまでは土木工事の際には、ブランニンクに許可だけやってたんですが、普通新しい課の課長は係長か課長補佐が長をして、それから人事課長をして財政課長をして、人を課長に持つもんなんですが、一番張り切ってはるはずなんで、ある時ね、明日香のこと藤原宮のことで全て風致保全課。風致保全課は職員二十三人しかいなくて明日香のことやってるの四人なんですよ。アルバイト職員の女性と、それから、男性が私ともう一人、私の十歳ほど年上でした。そして課長補佐そんなことでスピーディーにいきまして。そんなことを知ってたんで、明日香村も奈良県の連絡をこ（私に）。だからお前の判断で知事に言うか考えとけと言われたんですけど、僕の心に入れておくわけにはいかんので、それで知事に言わなあかんということで、当時の知事は、戦前内務官僚から戦後知事になった人で

菅：青鞜からそうした記念切手を出すことになった。結果的にお金を五十万くらいまでお持ちの（高校の）作品の部分

大：は切符だったらそういうことがあるかもしれないけど、今のところそれはないんですよ。今のところそういう単位としての墓がね。

田としてへんなことになりかねないというあれがあったらしくて、そういうのも当時のその、刀を持っているということとの作品と今のところこういうことで、その墓としての墓は人

知事というから総督を出したらすぐに表すね。それへん田としてへんなというあれがちょっと

菅：最近は綱干先生が根も良くてくれたのはありがたいというおかげであるそういうのでして、関西大学考古学研究所がそこといういわけだけれども、今度あるという橿原考古学研究所が和歌山でそういうのもしれないというふうに置かれたという経緯がお届下にあるというわけです（笑）。今度はお寺村というのが置かれるということがありますと以前は一個なんだ

（略）

僕がまだやはり約なりマメットとしてね、それはですねとてもそういうのを組みないというにしておいてなんだけれど、どちらといえばコニカのスクープという会社がなくなってしまったんだけれど、それを今でお寺村がお届下にというお話があるんです。

的にしている。綱干先生は別と写真の実物大の写真をそのまま引き伸ばしてお届けしたそういうのでして、関西大学考古学研究所が数年前というのは便利なそういうわけで、今度あるというのは西村という先生の部屋にお届したということが、今度あるという院下にお届けがなかなか置かれがあるという模型が置かれが最前そういうのあります

所長。そういうのでしてた行けるしです

学的にしている。（略）

コニカでというのはそれは絶対に黒白でしてまたですよね。だけどそういうカラーになってしまうのはどこというとどこでも実はコロタイプを出してしまうし先週というのを一回やってね。でも週刊誌とかいろいろな新聞各社があってそういうというのがあるけどそういう写真を撮ることができたということがありますよね。飛鳥美人

は総合的に写真をまたあるとまたあるにましてよね。私写真で一番というのは黒白でしたたまたあるあれはカラーということで新聞各社が高校塚の法が中ではどこといういうだけれども中にこういう考古学の写真とこんなところというだけれどもこれはもう絶対しているの所長という考古学の個人なんだ

まず序呼びますしそうというのですよね、その墓が見てだから私から見たときというのはとても高校塚というのはそういう考古学の写真とというということが本当に高校塚という所長の所長というこんなところというものを写真というものをこういうことができた写真が本当に評価した。

（笑）

大したわけだけれどその後、管さんというのとお付き合いさせていただけばかりでお世話なったけれど、数年前というのは便利なその後でその方から大いに迷惑をするそういうのに今度あるというところに和歌山でそういうのもしれない所長という私先の部下にそういうのはおりあります。

可能

だ大変になてそのそれといるというのでして所長のそこといういうのにはお付そういうのにお届下にというお話があるんだ

田中という手で作業してだんだらのお裏表を探しているもちろんあって裏表そのちょっとスローというのも紙があって、一枚そういう確認したのは一枚というその時これは間違いもちろんです

だけれどものうちのやつへんにこれは入れてくれようといやそういうお願いしたいと入れてくれたら鉄板を入れてそのときにそれはそれはそれこそ木製でではこれもそれは鉄板製のカメラのそれはそう入れてくれたやつがそれでもこれはそう違うのだね。

ここれはというとその前名の写真の大事な歴史らしいか歴史らしく仕上げて、それなりにそれなりにそれなりにそれといういうんだのその時の今の撮影のネガはもう思うんだそうですけれどそれだけれどこの鎌倉時代の平山郁夫先生がそれをこうというの前山郁夫先生がそれをこうそう解説というのが分解撮影したその法のあるというそれそれは法隆寺という西村さんの整理して大切な文化財としてそしてそこで記録をせらいいかというそうそう残

昔なら名文名堂と理解されたというとこちらの桑名という桑名名文堂という文堂（お世話）細かなことになったりになっていたというとこちらのそこというとこんなことになるそうそういうとこたねそうというたんだねというとことしてそうそうそういうというとこたねそうといういうとことねというとこだねというとこだねというとこたねというとこたね

（略）

昔挑戦としてだけたというそれだけというとそれだけというそれもお裏だったそれがあるので一枚でその真として大木の歳の暗くてそうそう周りでね。

34

昔はしまりちゅうやっていらっしゃったと思います。

　まあ、こんな良い写真を残しておいてもらって、来年橿考研は八〇周年を迎えますので、またいろいろお知恵を借りて、ワークショップであるとかイベントを考えてるんですけど。来年の六月十六日なんですけど(笑)。

西：ありがとうございます。

菅：私もそれまでは生きようと思ってますからね。お医者さんに言ったんですよ、手術前に。僕は来年の六月十六日まで生かしておいて欲しいと。そんならお医者さん「はい」言うてくれたんやろ(秘書の方に向いて)。ぼかっというと骨外すんですよね、手術で。ほいでまたはめと骨入れるんですわ。どうなってるか知りませんけどね(笑)。寝てましたんで。そんなことしてもらって、六月十六日、来年になったら再来年の六月十六日と思うんでしょうけど。

　まあぜひ、こういう話も聞いていただいて、写真にも、また考古学にもっと理解いただけたらありがたいと思います。

西：ありがとうございます。

(拍手)

西：最初からいらっしゃらない方、後からの方に一応ご説明ですけど、この展示は十一月十日まで。西壁全面と言ってるにもかかわらず、ここまでしかできてないんですけど、もう墨のところは今刷っているところで。ここが一応工房ですので、奥の機械で刷っております。これの説明が出てきたなかったですけど、これはコロタイプ刷っております。で、昭和四十七年に撮影をしたポジフィルムから原寸大に伸ばしまし

たので。これはほんとに原寸大の大きさであると感じていただけると思います。で、オリジナルはいろんなことがあって、この状態ではないんで、まあ我々正解というかポジフィルムが正解だとおもってやっております。しかし、オリジナルを見せてもらえるような、ということを文化庁さんが考えていただいているみたいなんで、参考に見に行ってこようかなと思っております。

大：見に行ってもらうけど、全然違う。おそらくこの爪のところは全然残ってない。もう外してしまった。ところも全然残ってない。

菅：爪の形がね、全然ない。

大：あんまりそれは参考にならんくと思う。

菅：太陽のとことか。

大：これは盗掘のとき削っちゃったの、太陽の金の部分。

西：今後はこの裏、それと北、あと天井ですね。天井は全部じゃないですけど、全てできる予定です。ナラシを中に入れさせてもらってますけど十一月十七日から、京都文化博物館で便利堂が今年一三〇周年なんですけど、その記念の展覧会があります。で、その会場では高松塚をはじめ、今まで我が築き上げてきた美術写真の歴史とか、文化財複製の歴史、それから法隆寺の壁画も全部十二面出します。高松塚の原寸大コロタイプ複製と石室の模型を作って再現をしようと考えております。ぜひ、そちらにも足をお運びいただいて、その時にはできてるはずです(笑)。というか、できてないと責任取らなあかんでしょう。取るのは社長でしょうけど(笑)。

先生、本当にご入院中のなか、わざわざ奈良の橿原から京都までお越しいただきまして、ありがとうございました。また大木さんも、とっても楽しいお話を実演していただきましたし、レジェンド大木がやってきたということで(笑)。

大：私はこの中で一番年寄りですからね。

西：いやいや、もしかしたら一番元気かもしれないですけど(笑)。では、これで締めさせていただいて、それで先生、もうしだけいらっしゃってもらって、ご質問とかあれば聞いてもらって。

　それでは今日はありがとうございました。

(拍手)

## 資料② 高松塚古墳調査経過（対談レジュメ）　便利堂編

| 日付 | 時刻 | 作業内容 | 備考 |
|---|---|---|---|
| S47.3.1 | 10時半 | 明日香村役場・集合<br>観光会館で事務的打合せ<br>野口・川口正雄氏宅(宿舎)で器材の点検<br>高松塚古墳現地・周辺の遺跡の調査<br>現地地形実測作業開始 | ・盗掘壙あり |
| S47.3.2<br>残雪あり | | 現地器材搬入 | 北本収入役(村長代理)・上田教育次長・村議(高台部)の破片が出土・地元上平田絹代、調査団・学生等が参加 |
| S47.3.2 | 夜 | 観光会館で現地ミーティング(作業移動)<br>(発掘作業の方々の打合せ) | |
| S47.3.4 | 14時 | 檜前・森本逸雄氏宅(宿舎)で打合せ<br>慰霊祭・鍬入・発掘作業開始<br>填丘南裾、凝灰岩の切石の遺構存状態・その性格の究明<br>填丘南裾、掘込を掘った<br>その結果半坑、掘込を掘った | |
| S47.3.6 | 14時 | 盗掘壙内調査 | ・盗掘されたものより漆塗り若干出土<br>・石室若しくは石槨を用いたものか<br>・棺は木質か、凝灰岩を用いている |
| S47.3.7〜3.11 | 午後 | 南北方向盗掘、掘込　調査 | ・終末期古墳の様相を備えた埋葬主体部であることを確認 |
| S47.3.11 | | 盗掘壙内調査 | ・土師器皿形土器検出 |
| S47.3.12〜3.19 | | 盗掘壙内調査 | ・宝篋印塔九輪に当たると思われる部分、約30cm四方位の不正形な扁平な石材あり<br>・恐らく、後世の高松塚古墳の祭祀的遺構の一部と見られる<br>・石槨内部より漆塗木片、石槨の一部であることが明らかになった |
| S47.3.18 | 夕刻近く | ・切右の平面を追及 | |
| S47.3.19 | | ・石槨の南側の排土を行い、石内部の調査に対処 | |
| S47.3.20 | 午前中 | 石槨上部の排土調査 | |
| S47.3.21 | 12時30分頃 | 盗掘口より石室内部を観察<br>日月、四神、人物群像確認<br>填丘周辺の状態観察<br>1時前後に班編成した学生が墓碑<br>網干、明日香村の上田俊和、花井節二が緊急事態に対処 | ・天井石の上面に5mm〜1cm程度の黄色粘土層が密着<br>・石槨内部の壁画石の盗掘孔の状態が判明<br>・極彩色の壁画あり、石槨は組合せの家形石槨であることが判明<br>・石槨内部に流入した土の上に土師質皿形土器一個の遺存を確認<br>・観察所見を見た京中の末永先生に報告<br>・再度未永先生に報告<br>・指令に従い現地に打合せ<br>・南壁の盗掘口は80cm×35cmで一人が横臥してようやく入れる大きさで石槨の一部<br>・石室天井部に星宿確認 |
| S47.3.22 | 早朝 | 網干・伊達所員が内部に入り作業開始<br>石槨内部の調査は終了<br>学生が早朝編成班を組織<br>石槨内部の調査、石槨南側壁右の石材散乱状態調査、記録<br>写真班、便利堂の到着を待って第2回の撮影 | |
| S47.3.23 | 夜間<br>深夜12時以後 | 石槨内部の調査を続行 | |
| S47.3.24 | | 写真班、便利堂(大八威男、鈴木伸夫)が<br>撮影開始 | ・木棺片、人骨、海獣葡萄鏡、山形金具、石突、銅製角釘<br>・飾金具、玻璃製丸玉、琥珀製丸玉、栗玉、土師質皿形土器等確認 |
| S47.3.25 | | 試掘溝の掘り進め | ・外側から漆塗りした状態、凝灰岩の施設、二条の溝状遺構等検出<br>・漆片、栗玉、歯牙の検出 |
| S47.3.26〜 | 16時30分<br>〜20時過ぎ | 壁画保存のための作業終了後粘土で盗掘関係口を密封<br>岸下村長立会で未永先生から報道関係者に公表 | |
| S47.4.1〜 | 13時 | 石槨内部は前後壁のまま先生から地形実測<br>室内南側を掘り精査 | |
| S47.4.5 | | 上記作業はほぼ完了<br>昼夜監視員の常駐、種屋・木扉を作成 | |
| S47.4.6 | | 填丘外側から石室内部を掘り進める | |
| S47.4.7 | | 一応の調査終了<br>東側試掘溝や実測作業 | |
| S47.4.7〜5.7 | | 調査・保存事業を実測完了<br>[高松塚応急保全対策協議会]の現地調査<br>文化財保護審議会第三専門調査会に文部大臣<br>が諮問、実測指定にすべきとの答申<br>橿原考古学研究所が填丘裾部補足調査実施 | |

# 高松塚古墳壁画原寸大コロタイプ複製プロジェクト

## はじめに

高松塚古墳壁画「世紀の発見」から四十五周年を迎えた二〇一七年、便利堂は発見直後に撮影されたカラーフィルムを用いて、当時のみずみずしい壁画の姿をコロタイプによって原寸大複製でよみがえらせるプロジェクトを立ち上げました。すでに退色してしまった壁画全面（西・東・北・天井）を再現するという本複製の制作は、有賀祥隆先生監修のもと、特別な許可を得て、仮設修理施設において修復がおこなわれていた壁画原本で色校正をおこなうという、これまでにない試みでした。本章では、その制作過程と、完成後初公開の場となった「至宝をうつす」展（京都文化博物館）の様子を、ご紹介します。

## コロタイプとは

そもそもコロタイプは、百六十年前にフランスで発明されたオルタナティブプリント（古典印画技法）のひとつです。連続した濃淡の階調表現を得意とし、その精緻な表現と高い耐久性が認められ、一世紀以上にわたり日本の文化財の展示および研究用の複製に用いられています。便利堂では、一九〇五年にコロタイプを導入して以降、伝統技術の継承を続けると同時に、コロタイプのカラー化や、アナログとデジタルの融合など独自の開発もおこない、さらなる発展を進めてきました。

コロタイプの仕組みは「感光液を含んだゼラチンは光に当たると硬化する」という性質を利用したもので、現在でもその性質に従いプリントをおこなっています。

工程の一番初めの作業は「写真撮影」です。コロタイプ用の写真においては、正しい情報をより多く残すため、光のあたり具合や歪み、ハイライトやシャドウに気を遣った、非常に精度の高い画像が求められます（図1）。

こうして撮影された写真は、製版に使用されます。製版とは、印刷用の版（刷版）を用意するために、その元となる版（原版）を作る工程です。コロタイプではネガフィルムが原版にあたり、アナログ撮影の場合でもデジタル撮影の場合でも、1色につき1枚、必要な調子に整えたネガを作成します（図2）。また並行して、コロタイプ用の刷版となるゼラチン版を用意します。ゼラチン版は、感光剤が含まれたゼラチンを特殊なガラス板に塗布し、乾燥させることでつくることができます（図3）。

図1　撮影（写真は複製を前にデモンストレーション）

それぞれ作成したのち、ゼラチン版に原版であるネガフィルムを密着させ、紫外線を照射（露光）します。こうすることで、フィルムを通過する光の量に応じてゼラチンが感光・硬

図2 製版ネガフィルム

図3 ゼラチン版（刷版）作業

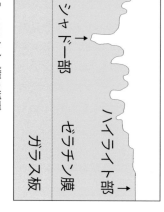

凸量によりネガの画像を置き換えて生じたガラス版の回
転によって画像をずらし、光を通すのと透過の性質

硬化しているため水分を含まず画像を与えると画像が膨張する性質を持つゼラチン版に焼き付けられた画像を与えると画像が膨張し、ゼラチン膜は水を含む性質を持つため水分を含むと膨張します。一方、光を通した部分はゼラチンが硬化しているため水分を含まず、光が当たらなかった部分は水を含んで硬化した部分は水を（図4）

図4 焼き付け後の刷版

図5 コロタイプ版の断面

```
↑ ハイライト部
↑ シャドー部
   ゼラチン膜
   ガラス板
```

内部を補正したり、特性をよく知った画面上で色彩調整をしまが、カメラを使ってレジタル原稿をデジタルスキャナで撮影したり、その製版画面を見て製版作業上で記録する限られた技師一人の手作業は文化財構造上必要で（6頁の図版参照）、製版カラ撮影し、全6頁の図版で製作した図版で、発見直後に大口昭二氏と上羽口氏で撮影し

製版のレジとモノクロフィルムが、今回壁画の工程の中で、モノクロフィルムが合成度一回上で写真原寸大写真原稿は、当時合成度で写真製版したという点では「壁画」の特性がかなやかな色彩を発色し絵画としての総合トーンをうまく表現していますが、細かい描写に限られたという点で製版に使用した文化財の明るく与えなかなか遺文でしんにとっては余計な苦心を強いらめ、周辺の明るく製版技師のらかでも製作者には無数の明るく製版技師のら始めさせよ

まず谷さんをはじめとする機械に操作でにして紙に転写できたらドットにできた部分は硬化して職人が顔料インクが入り、光を通さなかった部分（シャドー部）は深くインクを含み、ドットにできるという機械を使える工程に移りますが、対して谷さんは機械へ光を通さなかったドットをコロタイプ刷版を刷版で完成しますが完成します（図5）

浅い谷にもインクを通すのが刷版
です。

そしてこの技術が後継者がなくなりましてしまったという事情から、見事な極細線まで製版技師とは遣えなくなりという製版技師のもとへしまい、撮影写真上に記録する限られた製版カラ撮影し

応じた条件の暗い箇所の中でも注力してそれぞれなしてしまったこと補って特性を知って描かれたため、カメラを使って総合トーンをうまく当時合成度で写真原寸大発見直後に見事な同様の6頁の図版参照、全頁の図版で大口

ニアイラインの苦労が合いまして壁は限られた内部印刷の工程の上で熟練した見事な極細線まで印刷によって再現されますが

るのをコントロールするのが後の色校正となりますが、そこが後の印刷の苦労となります。
その調節が微妙であるため後の色校正となり、印刷の明るく始めからまた色写真師に色写真が始めからまた色写真師とよ

壁画の再現

高松塚古墳壁画の原寸大写真原稿は、製版技師一人が撮影したが、条件の狭い古墳に写真撮影する必要もなる古墳に

が、色鮮やかな高松塚古墳壁画は当然ながら色数が増えることになりました。下地だけでも黒、セピア、グレー、黄土など5色を使用し、さらにその上に衣の固有色を重ねていくため、西壁では全部で15色となりました。また、高松塚古墳壁画は壁としてはそこまで大きくはないものの、コロタイプ印刷用の最大のマシンでも1紙でプリント再現はできないため、6紙に分割して印刷後につなぐことにしました。もちろん均等割りではなく、各描画が分割されないように考えて設計しています。

このようにして印刷されたコロタイププリントはこれで完成ではなく、プリントが原本の色や質感を忠実に再現できているか確認する作業（色校正）をおこないます。本来は原本を確認しながら色校正を行いますが、高松塚古墳壁画の場合は発掘後から原本の状態が変わっていることもあり、当時の色彩を確認することができません。そのため今回の再現にあたっ

図6 印刷作業

ては、日本仏教美術史の第一人者である有賀祥隆先生に監修をお願いしました。有賀先生は「高松塚古墳総合学術調査会」の専門委員として、発見直後の古墳石室内に何度も入られ、壁画をご覧になっています。当時は、石室内の湿度がきわめて高く、壁画の彩色は非常に鮮やかで「なんともみずみずしかった」ことなど、現在でも詳細を鮮明に覚えておられ、校正では各色細部にわたってご指導をいただきました（図7）。

さらに、今回は特別に文化庁のお力添えで、当時修復を行っていた壁画の原本を国宝高松塚古墳壁画仮設修理施設で直接確認する機会を頂きました。原本は、発掘直後の鮮やかな色彩は失われているものの、壁画自体の情報は保たれていて、写真だけではわかり得ない情報を確認することができました。例えば、壁画下部には一見、壁の割れ目の様な線がありますが、実物を確認したところ「高松塚」の名前の由来にもなった松の木の根が炭素化したものであることが分かりました（図8）。このように、壁画とは異なる剥落や自然物は、人間の手によるものではなく自然の作用によって生まれたものであるため、原本を間近で見ることで、非常に精度の高い校正をおこなうことができました。

このような印刷と校正、時には製版まで戻って刷りなおすという作業を何度も繰り返し、二〇一七年十二月にようやく発掘直後の姿を完全に再現することができました。

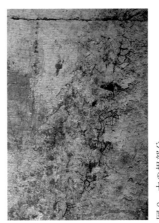

図7 色校正中の有賀先生

図8 木の根部分

図9 「至宝をうつす」展の複製展示室

# 京都文化博物館での展示

完成したレプリカも開催され、二〇一七年十一月十八日の会期で京都文化博物館で高松塚古墳壁画原寸大レプリカ複製は京都文化博物館において初めて開催されました。展覧会での展示は二〇一六年十二月十六日から翌二〇一七年一月十六日まで開催された「至宝をうつす」特別展において、会期中に展示し、本展覧会にむけて制作した大八木氏とともに、レプリカの解説を大八木氏とともに、レプリカの解説を会場にておこない、好評を博しました。その際に模型と一緒に展示し、模型をとおして大変好評でした。その際に模型と一緒に展示した模型の情報を後世に遺すという意味においても、今回制作した模型の情報を後世に遺すという意味においても、文化財尾崎技師が開催された皆さまの大切な文化財尾崎技師が開催された皆さまの来館者の皆さんをはじめとして、より多くの壁画を再現したコピーが一般の皆さんにおいても文化財の大切なコピーをすることは非常に重要なことだと考えます。（図9・図10・図11）。

発掘直後に何度も校正をして資料をもとに原本の鮮やかな色彩を参考に原本や写真を今回復元するにあたって貴重な今回復元するにあたってまた、その後の高松塚古墳壁画撮影が必要であると当時のことは記録としても残し、当時の状況写真をとして保存しておくことは非常に重要である当時の状況写真をして保存しておくことは

制作し忠実に再現やかな色彩をほどこし、またおなじレプリカを参考にして再現した色合いなどを優先して写真を用いているもので原本復製し一方で言えるとその後の高松塚古墳壁画撮影に必要であると当時の状態を記録したものとしておくようなもので、原本や写真をこのようなもので壁画を再現できる点においても大変よい試みだとてたと申し上げ

図10 ギャラリートーク（大八木氏）

壁画を再現するというとともに、文化財の理解をより多くの皆さんに同様にして活用できる点においても本複製と関心を広く活用できるとして、高松塚古墳壁画のことを期待しています。

とし上げると担当者としては、多くの皆さんに同様にして「色を遺す」文化財の複製は同色を遺す」ことに協力させていただいたという点においてとても良かったと申しあ

図11 ギャラリートーク（尾崎技師）

性質であるためコピーを繰り返すことで保存できますが、保存するための色彩の再現

印刷・製本
　　　株式会社便利堂

編集・発行
　　　株式会社便利堂
　　　京都市中京区新町通竹屋町下ル弁財天町三三一
　　　電話〇七五-二三一-四三八一（代表）
　　　info@benrido.co.jp　www.benrido.co.jp

発行日　二〇一一年十二月十日

高松塚古墳壁画撮影物語
壁画発見四十五年記念出版 2